Fanny Lewald

Die Tante

Eine Novelle

Fanny Lewald: Die Tante. Eine Novelle

Erstdruck in: »Hausblätter«. Herausgegeben von F. W. Hackländer
und Edmund Hoefer. 1. Bd. 1855. Stuttgart. Verlag von Adolph Krabbe.

Neuausgabe
Herausgegeben von Karl-Maria Guth
Berlin 2020

Der Text dieser Ausgabe wurde behutsam an die neue deutsche
Rechtschreibung angepasst.

Umschlaggestaltung von Thomas Schultz-Overhage unter Verwendung
des Bildes: Lazarus Wihl, Porträt der Schriftstellerin Fanny Lewald,
1851

Gesetzt aus der Minion Pro, 11 pt

Die Sammlung Hofenberg erscheint im
Verlag der Contumax GmbH & Co. KG, Berlin
Herstellung: BoD – Books on Demand, Norderstedt

ISBN 978-3-7437-3665-8

Bibliografische Information der Deutschen Nationalbibliothek

Die Deutsche Nationalbibliothek verzeichnet diese Publikation in der
Deutschen Nationalbibliografie; detaillierte bibliografische Daten sind
im Internet über www.dnb.de abrufbar.

Tante Julie war die liebenswürdigste Frau in unserer Familie. Mitten im Winter, im Nebel und Regen war's, als würde es hell und freundlich, wo sie hinkam. Wenn sie in das Zimmer eintrat, wenn ihr alter Diener ihr den Atlasmantel und den weißen Stepphut abnahm, und sie nun da stand in dem stattlichen seidenen Kleide, mit der weißen Haube und den Rosaschleifen, und sich umsah, da fiel's fast wie ein milder Sonnenstrahl in jedes Herz.

»Nun, liebe Kinder, seid ihr munter?«, pflegte sie zu fragen, während sie in den Spiegel blickte, die Rosabänder an ihrer Haube zurecht zu ziehen, die sie noch immer trefflich kleideten. Sie nannte das Band Hortensienfarbe, denn sie liebte die Hortensien ganz besonders; doch gab sie zu, es spiele in das Rötliche hinüber, wenn wir sie freundlich mit den Rosabändern neckten.

Das ganze Wesen der Tante hatte trotz ihrer siebenundfünfzig Jahre noch immer einen Anflug jener unvergänglichen Jugend, die vom Gemüte kommt, und wir glaubten es ihren Zeitgenossen gern, dass die Tante ganz reizend gewesen sei mit siebzehn Jahren, und bezaubernd, als sie zwanzig alt war. War sie doch immer noch hübsch! Hatte sie doch jetzt noch die hellsten blauen Augen, fiel ihr blondes Haar mit seiner feinen Silbermischung doch noch immer in zierlichen Locken um die Stirne, lachte sie doch noch immer mit der reinsten Anmut, und was ihre Hand und ihren Fuß betraf, so waren sie noch von einer tadellosen Feinheit.

Die Tante war Witwe seit ihrem dreißigsten Jahre, und kinderlos. Dafür aber war sie der Schirm und Schutz, der Rat und die Vertraute der ganzen Jugend in der Familie. Zu ihr gingen die Kinder am liebsten mit ihren Puppen und die großen Mädchen mit der Weihnachtsarbeit. Hatte eine Nichte einen Liebeskummer, so wurde er der Tante anvertraut, die wir scherzend nur Frau Minnetrost benannten. Machte einmal ein Neffe einen dummen Streich, so entdeckte er sich gewiss zuerst der Tante, um sie zur Vermittlerin bei den Eltern zu gebrauchen, und da sie reich und unabhängig war, gab sie nicht nur guten Rat, sondern kam auch ungebeten oft mit schneller Tat zu Hilfe.

Die Tante hatte überhaupt ein offenes Herz für jedermann und eine offene Hand für viele. Es haben sich gar manche den Ruf der größten Wohltätigkeit erworben, die weit weniger für andere hingegeben als die Tante; aber freilich, die persönliche Armenpflege war ihre Sache nicht. Ihr alter Diener trug die Gaben zu den Armen und Kranken, denn die Tante meinte, die vornehmen Damen wären nur ein Schreck und eine Verlegenheit in des Armen Kammer, und Johann erführe und sähe besser, was dort nottäte, als sie's könnte; es war auch nicht in ihrer Art. »Ich will sehr gerne den Brei bezahlen«, sagte sie einmal scherzend, »wenn ich das Kind nur nicht zu füttern brauche! Denn zur barmherzigen Schwester taug' ich nicht.«

Der Not abhelfen nannte sie eine Pflicht; den Überfluss bescheren, das war ihre Freude. Sie gab ihren Nichten das erste Ballkleid und das Hochzeitskleid, und jedem Neffen seine erste Uhr. Sie wollte mit den heitern Erinnerungen der Ihrigen fortleben. »Das Trauern um die Toten ist so unfruchtbar, das liebende Erinnern, das ist alles!«, sagte sie. »An meinem Todestage sollt ihr zusammenkommen, um mit guter Laune mein Angedenken unter euch zu erneuern.« Und wirklich hat sie Sorge getragen, dass es geschieht, solange auch nur noch zwei Mitglieder ihrer Familie, die sie kannten, an demselben Orte beisammen leben.

Sie war das Muster einer liebenswürdigen Frau, das Muster einer guten Tante. Sie würde den Typus erfunden haben, hätte er vor ihr nicht existiert. Wir alle waren ihr von Herzen zugetan und sehr mit ihr zufrieden, nur leider war sie es nicht ganz mit uns.

»Ihr seid zu ernsthaft«, schalt sie, »zu gelehrt! Ihr sprecht in der Gesellschaft vom Staate und von der Regierung, als ob man das nicht morgens bei seinem Frühstück in der Zeitung lesen könnte. Ihr mäkelt an eurem Vaterlande, statt es einfach zu lieben, wie wir es geliebt in unserer Jugend. Ihr kümmert euch um Wissenschaften, in denen ihr doch nichts leistet, und weil ihr euch um das bekümmert, was nicht eures Amtes ist, vergesst ihr darüber, was euch einzig zukommt – jung zu sein.«

Diese Unzufriedenheit hielt sie aber gar nicht ab, uns allwöchentlich in ihrem schönen Hause zu versammeln, und gerade den Samstag hatte sie dazu gewählt, an dem die andern Frauen sich's mit ihrer Reinlichkeit im eigenen Hause unbehaglich machen. Schon um vier

Uhr zum Kaffee gingen wir zu ihr; später am Abende kamen die Männer uns dann nach, und um neun Uhr wurde stets soupiert, denn ihr geselliges Souper, das ließ die Tante sich von keiner Mode rauben.

Einmal im vorigen Jahre, nur wenige Monate, ehe sie uns durch ihren schnellen Tod entrissen wurde, befanden wir uns auch bei ihr. Der Kaffee war getrunken, Johann hatte die Lampen in das Zimmer gebracht, denn es war im Spätherbste, und die Dunkelheit begann schon zeitig. Wir hatten uns mit unsern Arbeiten nahe an den Tisch gerückt, und die Tante sagte: »Nun, Kinder, erzählt mir, was gibt es Neues unter euch? Erzählt mir etwas Schönes!«

»Ich werde diesen Winter die Vorlesungen in einem Frauenvereine besuchen«, berichtete ein hübsches junges Mädchen, ihr Enkelnichte.

»Du?«, rief die Tante. »Du bist ja keine Frau, und überhaupt, das ist ja auch nichts Schönes!«

»Oh«, meinte die Nichte, »du kennst diese Vereine nur nicht.«

»Freilich kenne ich sie«, entgegnete die Tante, »ich habe mich auch einmal verleiten lassen hinzugehen, um mir die Vergnügungen der jetzigen Welt doch zu betrachten.«

»Nun, und dann?«, fragten wir.

»Dann bin ich niemals wieder hingegangen!«, sagte die Tante lächelnd.

»Warum nicht?«

»Weil ich mich nicht in Harmonie fand mit dem finstern Raume, mit den ernsten jungen Frauen und den wissensdurstigen Jungfrauen, die dort saßen und nach den Himmelskreisen auf der schwarzen Tafel starrten, als käme hinter denselben alle Lebens- und Liebesseligkeit zum Vorschein.«

»Ja, aber Tante, wenn man sich doch unterrichten will, wenn man doch einen Einblick in die Wissenschaft gewinnen möchte!«

»Einblick! Wissenschaft!«, wiederholte die Tante mit ihrem feinen, sanften Lächeln, das ihr vortrefflich stand. »Das sind ja alles Phrasen, liebe Kinder! Ich habe noch nicht gesehen, dass ihr liebenswürdiger geworden seid durch eure oberflächlichen Blicke auf die tiefe Wissenschaft, im Gegenteil! Ich habe auch nicht bemerkt, dass etwas Ordentliches geworden ist aus diesem beschäftigten Müßiggange –«

»O Tante!«, rief das junge Mädchen begütigend, aber die Tante ließ sich nicht stören.

»Nun«, sagte sie, »wenn dir der Ausdruck nicht gefällt, mein Kind, so nenne es eine müßige Beschäftigung; denn es kommt nicht viel mehr dabei heraus, als dass ihr keine Langeweile habt. Aber was wusste ich, was wussten eure Mütter von den Wissenschaften? Und wir haben doch alle unsere Männer zufriedengestellt und alle glücklich mit ihnen gelebt, und ihr findet euch ja von euren Müttern so unübertrefflich erzogen, dass ihr selber wieder Mustererziehungen an euren Töchtern zu vollenden gedenkt. Bleibt also nur ruhig bei der alten Weise, die Wissenschaft ist unkleidsam für Frauen.«

Wir alle kannten die oftmals ausgesprochene Abneigung der guten Tante gegen diese Art der modernen Frauenerziehung, die sie ohne Weiteres als einen Teil der schlimmen Emanzipationsideen bezeichnete, und ihr Zorn gegen dieselbe hatte uns schon oft belustigt. Auch widersprach ihr von den andern niemand. Nur ich konnte es nicht lassen, sie damit zu necken, und ich durfte mir auch etwas herausnehmen, weil ich, als die älteste von ihren Nichten, stets ihr besonderer Günstling gewesen war. »Aber, Tante«, sagte ich, »du schüttest heut wirklich einmal wieder das Kind mit dem Bade aus; was hast du eigentlich gegen die ernstere Bildung des weiblichen Geschlechtes?«

Die Tante sah mich ganz verwundert an. »Lässt du dich auch bestechen?«, sprach sie. »Und bist doch die Einzige von allen, die sich ihr bisschen Fantasie mit Wissen nicht verdorben hat. Was ich dagegen habe? Mein Gott, die Frauen werden langweilig vom Wissen, sie werden trocken! Wer mag denn spazieren gehen mit einem Frauenzimmer, das, wenn's im Mondenschein zum Himmel blickt, an ausgebrannte Krater denkt? Wer soll ein Mädchen sich zum Weibe wünschen, das ihm statt Lebenslust und Arbeitstrieb die Bücher und die Forschung in das Haus bringt? Und wenn sich so ein junges Ding gebildet hat, und nun kommt einer, der ihr wohl gefällt, der aber diese gelehrte Bildung zufällig nicht leiden kann! Was soll's dann werden, frage ich euch? Ich bitte!«

»Ja«, meinte ich, »das gibt dann einen traurigen Roman.«

»Einen Roman?«, wiederholte die Tante. »Mein Kind, das bilde dir nicht ein. Romane gibt's nicht mehr in eurer Zeit! Eine vergrämte alte Jungfer gibt's, und davor soll uns Gott bewahren.« Wir mussten über ihren Eifer lachen, indes ihr war die Sache ernster, als wir meinten. »Nein«, fuhr sie fort, »ich scherze nicht. Mögen die Frauen gehen und sich bilden, wenn ihren Männern das gefällt; die jungen Mädchen sollen sich aber nichts damit zu schaffen machen. Ein Mädchen muss womöglich frei und klar sein, wie ein unbeschriebenes Blatt, dann macht der Mann daraus sich eine Frau nach seinem Sinne und nach seinem Herzen.«

»Es heiratet aber nicht jede so wie du mit siebzehn Jahren!«, wendete das junge Mädchen ein, das seine Weiterbildung so bedroht sah.

»Und es findet nicht jede einen Mann, wie du ihn hattest!«, sagte eine andere.

»Du hast auch solch ein ruhiges Gemüt«, bemerkte ich, »dass du viel leichter und in anderer Weise glücklich werden konntest, als wir alle.«

Die Tante blickte uns der Reihe nach an, dann sagte sie freundlich: »Also ihr betrachtet mich als eine Art von Rarität, als einen Paradiesvogel, als ein Wesen ohne Blut und Leben, ohne Anteil an der Menschheit unverlierbarem Erbe, an dem Schmerz? Ihr denkt, weil ich das Leben lieb habe und es schön finde und mein Schicksal und meinen verstorbenen teuren Mann bis an mein Lebensende segnen werde, deshalb denkt ihr, ich hätte die Tage nicht auch von ihrer ernsten Seite kennenlernen? Ihr irrt euch sehr!«

Sie hatte die letzten Worte mit einer Energie gesprochen, die keine von uns je an ihr bemerkt. Ein Zug von Schwermut veränderte ihren ganzen Ausdruck, und zum ersten Male im Leben fiel mir ein, daran zu denken, was die Tante in ihrer Jugend wohl gewesen sein mochte. Indes ehe ich dieser Frage Worte geben konnte, sprach sie: »Ich glaube, recht heiter wird der Mensch nur dann, wenn er vorher einmal recht traurig, recht vom Schmerz durchfurcht gewesen ist.«

»Aber das war doch nie bei dir der Fall?«, wendete ich ein.

»Woher glaubst du das? Was weißt du, was wisst ihr alle denn von mir?«

»Nun, alles!«, entgegnete meine Schwester, die Mutter des jungen Mädchens, das zuerst gesprochen hatte. »Unsere verstorbene Mutter hat uns immer gesagt, du hättest das sanfteste Lebenslos gehabt, dein Mann habe dich auf den Händen getragen, alles habe er dir gewährt, sein Vermögen habe dir von Anfang an ganz zu Gebot gestanden, und er habe dir eine Freiheit gelassen –«

»Von der er sicher war, dass ich sie nicht missbrauchen würde!«, fiel ihr die Tante in das Wort; und sie sprach das in einem so ernsten und würdevollen Tone, dass alle plötzlich davor verstummten.

Die Tante wollte den Gegenstand auch offenbar nicht mehr berühren, denn sie fragte plötzlich nach einer ganz gleichgültigen Bekannten und dem Ergehen ihrer Tochter, und obschon wir alle diesem Winke gehorchten, blieben unsere Gedanken doch auf die Erlebnisse der Tante hingewendet.

Auch mich beschäftigte ihre Jugendzeit in den nächsten Tagen vielfach. Ich hatte eine dunkle Erinnerung, als hätte ich von einer unglücklichen Liebe der Tante reden hören, und ich nahm mir vor, sie einmal in einer guten Stunde darum zu fragen, als sie meinem Wunsche ganz unerwartet begegnete.

Wir waren eines Abends allein, und gegen ihre Gewohnheit hatte sie viel von sich gesprochen. Sie hatte dabei ihres verstorbenen Mannes mit großer Wärme und Verehrung gedacht, und nachdem sie eine Weile schweigend dagesessen hatte, sprach sie: »Ich habe es dir schon lange einmal sagen wollen, dass ich für dich ein besonderes Andenken, ein Zeichen des Vertrauens aufgehoben habe, das du nach meinem Tode vorfinden wirst.« Sie hielt wieder inne, denn sie war sehr nachdenklich den Abend; dann fuhr sie fort: »Ich bin noch aus der alten Schule, die von ihrem Empfinden nachträglich nicht viel Worte machte, obschon wir vielleicht so tief und tiefer fühlten, als die jetzige Welt. Aber es galt für unschicklich, viel von sich selbst zu sprechen, und die großen Considenzen, die leidenschaftlichen Erörterungen gegen Freunde und Freundinnen sind mir stets als krankhafte Geschmacklosigkeiten vorgekommen. Man belügt dabei im Pathos sich und seinen Zuhörer und macht das Übel ärger. Indes der Mensch hat einen Zug, sich seines Erlebten zu erinnern, und auch ich habe ihn oftmals gefühlt. Da habe ich denn mir selber wieder vorerzählt, was ich empfunden, was ich einst gewesen bin, und was die Menschen waren, die mit mir lebten in meiner Jugend.«

Sie stand auf, ging an ihren Sekretär und zog ein englisches Schreibpult von grünem Samt daraus hervor. Mit einem kleinen goldenen Schlüssel, den sie an ihrer Uhrkette befestigt hatte, öffnete sie das Kästchen und nahm einen Pack Papiere daraus hervor. »Sieh«, sagte sie, »diese Blätter enthalten meine Jugenderinnerungen. Das

Schönste und das Schwerste, was ich erlebte, ruht darin. Nimm das Kästchen an dich. Den Schlüssel sollst du einmal erhalten, wenn ich nicht mehr bin.« Sie schloss es bei den Worten wieder zu und händigte mir es ein. Ich nahm es, und wir schwiegen beide bewegter, als wir es einander merken lassen wollten.

»Wie kommen wir nur gerade heute zu solcher Stimmung?«, bemerkte ich nach einer Weile.

»Mich wundert es vielmehr«, entgegnete die Tante, »dass man im Ganzen dem Hinblick auf seinen Tod so wenig Raum gibt. Schon seit ich mein vierzigstes Jahr zurückgelegt habe, seit ich mir sagen musste, dass ich der Wahrscheinlichkeit zufolge mindestens zwei Drittel meines Daseins abgelebt, hat mich der Gedanke an das Ende desselben niemals mehr verlassen.«

»Aber bei deiner Gesundheit«, wendete ich ein, »und bei deiner Lebenslust und Heiterkeit sollte man das nicht glauben.«

»Ja«, sagte sie, »ich bin gesund, und lebenslustig und heiter bin ich, weil ich ruhig auf die Vergangenheit zurückblicken darf, und weil ich eben das Stückchen Leben, das mir noch bleiben dürfte, für mich und andere recht benützen möchte. Ihr müsst doch einmal wissen, wozu ich für euch da war!«, sprach sie mit ihrem anmutvollsten Lächeln und fügte dann scherzend hinzu: »Ich versichere dich, ich bin ein besserer Christ und dabei auch ein besserer Philosoph, als ihr alle es wissen oder denken könnt.«

Ich räumte ihr das von Grund des Herzens ein, denn mir war ihr heiteres, werktätiges Wesen stets als die größte Schönheit und Weisheit vorgekommen, und wir brachten den ganzen Abend im innigsten, vertraulichsten Geplauder zu.

Ein paar Monate später, gegen das Frühjahr hin, war sie nach wenig Tagen der Krankheit sanft verschieden. Ihr Tod war klar und freundlich gewesen, wie ihr ganzes Dasein. Für jeden hatte sie nach seinen Bedürfnissen mit verständnisvoller Liebe vorgesorgt, jedem hatte sie noch über ihren Tod hinaus irgendeine Freude, irgendeine Überraschung zu bereiten gewusst. Mir hatte sie neben jenem Kästchen noch ihr Jugendbild vermacht, dessen Lieblichkeit mich immer so gefesselt hatte.

An einem schönen Frühlingsabende, als mein Sinn recht still und ruhig war, öffnete ich die grüne Schatulle und nahm mit tiefer Rührung die kleinen Blätter in die Hand. Der Hinblick auf die mir unbekannte Vergangenheit eines mir nahestehenden befreundeten Menschen hat etwas, das mich stets mit einer Art von Scheu erfüllt, und diese Scheu steigert sich, je mehr ich an dem Menschen hänge. Denn jeder hat sich durch böse Wege und durch Schatten zum Lichte durchzukämpfen, und der Kampf ist oft so hart, so furchtbar, dass er uns des Freundes Bild entstellt.

Indes die kleinen Rosablättchen mit dem hellen Goldrand, mit ihrem Rosenölgeruch, die konnten, wie ich sicher wusste, von keinen wilden Leidenschaften sprechen. Der Tante ganzes Wesen, ihr maßvoller Schönheitssinn verbürgten das.

Sie hatte die Papiere sorgfältig geordnet, geheftet und die einzelnen Hefte nummeriert. Das Umschlagblatt, das sie zusammenhielt, trug von ihrer kleinen und doch klaren Hand die Überschrift: »Aus meiner Jugendzeit«. – Darunter stand als Motto: »Was bildet den Menschen, als die Liebe!«

Ich las den ganzen Abend. Die einfache und anspruchslose Erzählung trug den Stempel der offensten Wahrhaftigkeit und gab dadurch das treue Abbild eines Menschen und der Zeit, in der er sich bewegt. Kein Versprechen band mich, den Inhalt dieser Blätter zu verheimlichen, und es kam mir wie ein Unrecht vor, mich dieses sanften Daseins nur allein zu freuen, wenn andere die gleiche Freude mit mir teilen und die Verstorbene lieben lernen konnten, wie ich selbst sie liebte.

Ich habe nichts geändert an den Aufzeichnungen. Die kleinen Neigungen und Abneigungen, die Lebensansichten der Tante sprechen sich darin aus. Ein ganzer Menschenkreis tritt uns daraus entgegen. Es wehte mich eine besondere Beruhigung, eine stille Heiterkeit aus der Erzählung an, und indem ich die kleine Selbstbiografie der liebenswürdigen Frau hiermit einem weiteren Kreise übergebe, hoffe ich, der Tante jetzt noch Liebe zu erwecken, wo sie selbst nicht mehr durch ihre Güte sie hervorzurufen vermag. Hier sind also die Hefte.

Aus meiner Jugendzeit

Motto: *Was bildet den Menschen, als die Liebe!*

Ich bin am zehnten Mai des Jahres siebzehnhundertsechsundneunzig zu Berlin geboren und die jüngste von fünf Geschwistern. Meine Eltern stammten beide von der französischen Kolonie ab, welche zu jener Zeit noch fester in sich zusammenhielt als jetzt. Beide Eltern sprachen meist französisch miteinander, und da diese Sprache damals in Deutschland noch viel mehr geredet wurde als in späterer Zeit, so lernten wir Kinder sie alle früher und besser als das Deutsche, obschon die Eltern gute Preußen waren und den jungen König und die schöne Königin mit wahrer Pietät verehrten.

Die Mutter war sehr schön gewesen und hatte lange einen Herrn von Schlichting, einen Offizier, geliebt. Seine Eltern hatten aber davon nichts wissen wollen, weil damals die Verbindung eines Offiziers, eines Erben aus uraltem Adelshause, mit der Tochter eines Seidenfabrikanten für eine unstatthafte Missheirat, für ein großes Unglück angesehen wurde. Sie hatten also seine Versetzung nach Ostpreußen bewerkstelligt, er war aus dem Militär in Zivildienste getreten, und meine Mutter hatte denn auch dem Willen ihrer Eltern später Gehorsam geleistet und den Mann geheiratet, der ihr von Jugend an bestimmt gewesen; denn die Familien der Kolonie verbanden sich meistens untereinander, und das Familienleben war auf die strengste Abhängigkeit der Frau vom Manne und der Kinder von den Eltern gegründet.

Meine Mutter zählte damals zweiundzwanzig Jahre, ihr Mann war nur ein wenig älter. Er war auch Seidenfabrikant und so sehr in seine Unternehmungen vertieft, dass er trotz seiner Jugend an das Herz seiner jungen Frau keine großen Ansprüche machte. Er war zufrieden, dass sie hübsch war, sich zu präsentieren, ihr Haus auf einem respektablen Fuß zu halten wusste, und da sie nebenher ihm in der ersten Zeit fast alle paar Jahre ein gesundes Kind gebar und ihm selbst beim Führen seiner Bücher noch zur Hand zu gehen Zeit behielt, so war er ganz zufrieden mit der Wahl, die seine Eltern einst für ihn getroffen hatten, und fühlte sich wirklich glücklich mit seiner Frau. Die Mutter hatte auch niemals über ihn zu klagen, und über Herzensleere oder innere Unbefriedigung zu grübeln, dazu ließen ihre fünf Kinder ihr nicht Muße.

Der Vater brachte es schnell zu bedeutendem Vermögen; er wurde ein geachteter Mann in der Kolonie und auch in der ganzen Stadt sehr angesehen. Er kaufte das große Grundstück in der Breiten Straße, das noch heute in den Händen meines Bruders ist, und fing an, ein Haus zu machen, wie man es nannte, was freilich von seinen Stammes- und Standesgenossen bekrittelt und getadelt wurde. Er ließ sich aber von ihrem Missfallen nicht stören, und der Mutter war das weltliche Leben ganz genehm. Je mehr Kinder sie gehabt, je gesünder und stärker war sie geworden, und dieses Embonpoint machte sie nur noch schöner. Sie kleidete sich gut, hatte die angenehmsten Manieren, sprach mit großer Leichtigkeit, und da sie herzensgut und recht im Grunde eine freundliche Seele war, so gewann das Geringste, was sie für die Menschen tat, einen besondern Anstrich und einen unschätzbaren Wert. Liebenswürdiger als meine Mutter habe ich nie eine Frau gesehen. Sie gefiel einem jeden, und darum machte der Verkehr mit andern ihr so große Freude.

Weil damals die Seidenwirkereien in Preußen noch nicht zahlreich waren, ermunterte und beschützte sie der Hof, und sie hatten denn auch andererseits einen lebhaften Absatz nach Russland und nach Polen. So kam der Vater mit vornehmen Beamten vielfach in Berührung, die ihm nützlich sein konnten, und denen er dafür gern in seinem Hause eine stattliche Aufnahme bereitete, während durch seine Handelsfreunde viele Russen und Polen seiner Gastfreundschaft zugewiesen wurden. Es war also ein steter Wechsel von Fremden in unserem Hause, und da solch ein Umgang sich weiter und weiter verzweigt, so hatte die Mutter bald einen Zusammenhang mit der eleganten und schönen Gesellschaft von Berlin.

Und in jenen Tagen gab es noch eine Gesellschaft unter uns, denn die Frauen waren noch liebenswürdig, und die Männer gingen noch gern mit ihnen um. Die Frauen lasen noch keine wissenschaftlichen Bücher, sondern nur Romane; sie brauchten also am Abend von den Männern im Salon nicht Aufschlüsse und Erklärungen zu fordern, sie wussten selbst Bescheid, konnten mitreden und oft sogar dem Manne deutlich machen, was ihr Herz besser begriffen hatte, als der männliche Verstand. Sie bewegten sich auf einem Boden, auf dem sie mit Sicherheit zu Hause waren, die Männer fanden Erholung bei ihnen und hatten nicht, wie jetzt, das undankbare Amt, die Präzeptoren von einem halbverstehenden und dadurch stets konfusen Frauenpublikum zu machen. Dabei gewährte dann die leichte und doch tiefe Unterhaltung über dichterische Literatur so klare Einblicke in manch schöne Frauenseele, dass neben dem geselligen Interesse wohl auch ein tieferes Gefühl erwachte, dessen man sich gar nicht schämte. Männer und Frauen wollten gefallen und darum gefielen sie einander und hatten Lust und Freude daran, dies gegenseitige Wohlempfinden immer aufs Neue zu genießen, zu erhalten und zu verstärken.

Es waren nicht immer große oder gar schlimme Leidenschaften. Gott bewahre! Wer in eine solche sich verstrickte, den beklagte man, aber man kannte damals noch die alten, guten Attachements, die rührender und sanfter waren als die Freundschaft, ruhiger als die Leidenschaft und meist viel dauerhafter als die Liebe. Solch ein Attachement verargte man keiner unbescholtenen Frau. Indes diese schönen Verhältnisse gingen unter mit der Zeit, die noch französisch sprach, denn sie waren das Gute, das die französische Bildung sich aus der Sinnlichkeit des achtzehnten Jahrhunderts errettet. Seit man nur deutsch sprach, seit alles pedantisch eine Freundschaft, oder sentimental eine Liebe, oder roh eine Liebschaft, oder endlich gar pathetisch eine Leidenschaft zu heißen hatte, war's mit der rechten Geselligkeit zu Ende, denn es gab keine Bezeichnung mehr für schickliche Verhältnisse zwischen Mann und Weib, die nicht Freunde und nicht Eheleute waren.

Freundschaft? Sie ist viel zu trocken, als dass ein Mann sie lange für eine hübsche Frau empfinden könnte, und keines von beiden Teilen findet dabei seine Rechnung. Die Frau muss ernst werden wie ein Mann, das beraubt sie ihrer Anmut; der Mann muss die Herrschaft seines Geschlechts verleugnen, das nimmt ihm einen Teil seiner Energie und seiner Würde. Die Freundschaft zwischen Mann und Weib wird Liebe oder Gleichgültigkeit, und ist immer nur von kurzer Dauer.

Liebe und Leidenschaft? Welche ehrbare Frau darf und will sie empfinden und ihren Schmerz und ihre Qualen auf sich nehmen, und vor einer heimlichen Liebschaft hat jede honette Natur einen Abscheu. Ein Attachement aber, damit war es ein ganz anderes. Ein Attachement für einen Freund tat dem Ehemann und dem Rufe einer Frau kein Unrecht. Im Gegenteil, es war ein Blitzableiter, an dem manch kleiner unbedachter Liebeshandel, manch törichter Unmut, manch häuslicher Verdruss hernieder glitt. Hatte der Hausherr üble Launen, drohte der Horizont der Frau zu dunkel zu werden, so heiterte eine Plauderstunde mit dem unverstimmten Freunde die Gattin auf, dass sie dem Manne wieder mit freierem Sinne und klarem Blicke entgegentreten konnte, und klagte sie dem Freunde auch einmal ihr Leiden mit dem Manne, so sparte es eine Ehestandsszene, die nicht so leicht vorüberging.

Indes nicht nur den Eheleuten, auch dem Hausfreund kam das Attachement zugute. Er hatte einen Ort, an dem er seine freie Zeit hinbrachte, er gewann Menschen, an denen er teilhatte mit dem Herzen, und mancher, der in jener Zeit ein treuer Freund des ganzen Hauses wurde, weil er ein Attachement für die Hausfrau fühlte, würde bei den jetzigen Gesellschaftsverhältnissen und -ansichten vielleicht ein Mannesalter mit einer ungebildeten Geliebten haben, deren er sich vor andern zu schämen hätte, und dann als Greis ein herzensödes, einsames Dasein führen müssen. Es war ein gutes Ding um jene Attachements, und ich habe freilich noch besonderen Grund, die Erinnerung daran in hohen Ehren zu erhalten.

Meine Mutter war im Anfang ihrer dreißiger Jahre, und meine Geburt stand ihr nahe bevor, als sie auf einem großen Feste ganz unerwartet den Geliebten ihrer Jugend vor sich sah. Er war unvermählt geblieben, obschon er die Verheiratung meiner Mutter einst durch sie selbst erfahren hatte. Aber wissen, dass eine geliebte Frau verheiratet ist, oder sie als Gattin eines andern, als Mutter seiner Kinder und dabei heiter und zufrieden wiedersehen, das sind zwei sehr verschiedene Dinge.

Herr von Schlichting konnte sich nicht gleich darin zurechtfinden, dass die Mutter ihm mit so ruhiger Freundlichkeit die Hand bot. Es tat ihm wider seinen Willen weh, als sie den Vater zu sich rief, um ihm den einst Geliebten vorzustellen; aber die Zuversicht, mit der die Eltern ihn behandelten zwang ihn zu einer bestimmten Fassung und zu einer noch bestimmteren Haltung ihnen gegenüber. So einfach, als könne es nicht anders sein, forderte der Vater ihn auf, sein Haus zu besuchen. Er war selbst ein Ehrenmann, und die alte strenge Familienzucht herrschte in seinem Hause, darum glaubte er auch an die

Ehre anderer, obschon damals die Sitten locker waren in der vornehmen Gesellschaft. Der Vater dachte, wenn Schlichting sieht, wie wohl es Josephinen in meinem Hause geht, müsste er ein Schurke sein, wenn er ihr diesen Frieden rauben wollte. Und er hatte damit richtig spekuliert.

Es war zu meiner Taufe, als Herr von Schlichting zum ersten Mal in unser Haus geladen wurde, und ich habe nach ihm den Namen Julie erhalten. Er fühlte sich tief erschüttert, da die Mutter ihm ihre Söhne und Töchter vorführte und so stolz auf ihre Kinder blickte, und als er mich aus der Taufe heben musste, konnte er sich kaum der Tränen wehren, wie man mir erzählte. »Gott erhalte Ihnen diese Kinder und Ihr ganzes Glück!«, sagte er nach der feierlichen Handlung, gab meinem Vater, dann meiner Mutter seine Hand, und von der Vergangenheit war zwischen ihnen allen keine Rede.

Er besuchte unser Haus wie andere Gäste, da er durch eine Ratsstelle im Ministerium an Berlin gefesselt wurde, und bald kam er oft und öfter, bis er zuletzt an keinem Tage fehlte, wenn er häufig auch nur für wenig Augenblicke vorsprach.

Weil weder unser Vater noch unsere Mutter Geschwister hatten, nahmen die Kinder den Onkel, wie Schlichting von den Kleinsten bald bezeichnet wurde, mit Freuden in ihr Leben auf, und alle fanden in ihm, was sie bisher entbehrt hatten, einen gütigen, belehrend teilnehmenden Freund. Der Vater war zu beschäftigt, um sich viel mit uns zu tun zu machen. Kehrte er aus der Fabrik oder aus dem Comptoir heim, so wollte er es ruhig haben, und man schickte die Kleinen fort; kam aber der Onkel, so wurden wir eigens herbeigeholt, und hatte er sich um die Lektionen der großen Mädchen und der Brüder gekümmert, so hatte er immer noch Zeit und Laune, sich uns Kleinen hinzugeben und mit uns zu spielen. Ich glaube, meine Erinnerungen an ihn reichen bis in mein drittes Lebensjahr zurück. In welchem Zeitpunkt ich seiner aber auch gedenke, immer war er der schöne, ernste und doch so freundliche Mann, den Alt und Jung verehrten und jeder lieben musste.

Anfangs hatte meine Mutter erwartet, nun er in der Hauptstadt und in einem so ansehnlichen Amte lebte, werde er sich verheiraten, und als sie gesehen, wie sehr er für das Familienleben geschaffen war, hatte sie selbst ihm oftmals dazu geraten, sich eine Frau zu nehmen.

Es war aber nicht dazu gekommen, und endlich hatte sie sich so daran gewöhnt, ihn zu ihrer eigenen Familie zu rechnen, dass ihr bange wurde, wenn sie sich vorstellte, diese immer gleiche, treue Teilnahme und Fürsorge einmal entbehren zu sollen. So waren fünf, sechs Jahre hingegangen, ohne dass irgendein Misston die Eintracht zwischen Schlichting und unsern Eltern störte. Meine älteste Schwester stand in ihrem sechzehnten Jahre, die Mutter, welche eine so erwachsene Tochter neben sich hatte, kam sich trotz ihrer eigenen Schönheit doch fast matronenhaft vor, und weil ihr Schlichting ein so werter Freund geworden war, mochte wohl ab und zu der Gedanke in ihr aufgestiegen sein, ihm einst eine ihrer Töchter zur Frau zu geben. Indes sie hatte natürlich einem solchen Einfall keine Worte geliehen, und weil der Ruf meiner Mutter immer ein ganz makelloser gewesen war, weil jeder, der sie kannte, ihre Pflichttreue und ihren Charakter verehren musste, so war auch kein Tadel und kein Zweifel über ihre Beziehungen zu Schlichting in den Menschen aufgekommen, und niemand hatte ein Arg daran gehabt, als einzig ihre Schwiegermutter ganz allein.

Die Großmutter war überhaupt eine sonderbare Frau. Sie hatte durch ihren Fleiß und ihre strenge Sparsamkeit das Düval'sche Vermögen begründen helfen, und arbeiten und sparen, das war ihr ganzes Leben. Je älter sie wurde, je mehr nahm ihre Sparsamkeit zu, und in der Zeit, da ich mich ihrer erinnern kann, war sie geizig geworden, wie ich nicht wieder eine andere Frau gekannt habe. In ihrem alten Hause in Neukölln, in dem der Großvater die Webereien einst begründet, und wo sich noch immer die Fabrik befand, lebte sie in einer dunklen Hinterstube, die nach dem Hofe hinaus gelegen war, und die sie sich allein zurückbehalten, während sie das ganze übrige Haus vermietet hatte. Sie trug noch immer eine altmodische Faltenhaube von gestreiftem, weißem Perkal, mit breiter, aufstehender Falbel, und ich habe sie immer nur in einem Überrock von braunem, gemustertem Kattun gesehen, über den sie ein dunkles seidenes Tuch fest um die Taille gesteckt und eine schwarze wollene Schürze zu binden pflegte. Nur bei großen Festlichkeiten, bei Taufen oder Einsegnungen in unserm Hause legte sie einen seidenen Überrock an, aber jeder erfuhr dann auch, dass es ein Kleid sei, zu dem sie die Spulen selbst gemacht, und wie viel Jahre es nun schon gehalten habe.

Sie ging nur wenig aus. Sommer und Winter saß sie und machte Spulen für die Weber in der Hinterstube, die fast kein Licht erhielt, weil ein großer Walnussbaum, der einzige, der in dem engen Hofe stand, sie mit seinen Ästen ganz verschattete, wobei sie sich von unserem Vater die Arbeit so gut wie jeder andere bezahlen ließ. In meines Vaters Equipage auszufahren, an irgendwelchem Luxus teilzunehmen, konnte man sie nicht bereden. Im schlechtesten Wetter kam sie zu Fuß allsonntäglich zum Mittag zu uns. Es musste dann um zwölf gegessen werden, und die Mutter musste sich streng auf die Suppe und den Braten beschränken, wollte sie nicht Vorwürfe erhalten, an denen es ohnehin nie fehlte; am Abend ging sie dann auch zu Fuße wieder heim.

Meine Mutter und die Großmutter standen überhaupt nicht gut zusammen. Sie konnte es der Schwiegertochter nicht vergessen und nicht vergeben, dass sie sich so schwer zu der Heirat mit ihrem Sohne entschlossen, und oft genug hatte die Mutter es hinter des Vaters Rücken von ihr hören müssen, wie sie einen solchen Mann niemals verdienen könne. Es war auch bisweilen wohl vorgekommen, dass sie in des Vaters Gegenwart der armen Mutter den Luxus zum Vorwurf gemacht, den sie gern hatte und sich bei des Vaters Reichtum auch gestatten durfte. Das hatte dann böses Blut gegeben zwischen den Dreien, denn der Vater liebte unsere Mutter, wusste, was er an ihr besaß und wie er sie vertreten musste. Wäre er nicht das einzige Kind der Großmutter gewesen, vielleicht hätte es einmal ein Ende genommen zwischen ihnen, so aber mussten sie und ihre Sonderbarkeiten still ertragen werden; indes war der Sonntag für die ganze Familie ein Gegenstand der peinlichen Erwartung und der Abneigung, nur für die älteste Schwester war er's nicht.

Caroline war von ihrer Geburt an der Abgott der Großmutter gewesen. Sie glich ihr, als wäre sie ihr aus den Augen geschnitten, und alles, was sie der Schwiegertochter an Lebensfreude, Luxus und Wohlstand missgönnte, das erwünschte sie für die geliebte Enkelin und suchte es dieser von jeher zu bereiten. Sie beschenkte Caroline vorzugsweise, putzte sie gegen die Absicht und den Geschmack unserer Mutter und störte auf diese Weise der Mutter Einfluss und die Erziehung unserer Schwester.

Caroline war eigentlich nicht hübsch. Sie war groß, mager und brünett, eben wie die Großmutter, aber sie hatte, wie diese, ein Paar schöne schwarze Augen, schöne Zähne und sehr schönes Haar, und da sie gesund und frisch aussah, konnte sie in ihrer Jugend wohl gefallen. Die Großmutter hielt sie für die Schönste von uns allen, und wagte je einmal jemand die Bemerkung, Carolinens Teint sei schlecht, so tröstete die Großmutter sie mit der Bemerkung, nach schwarzen Kirschen steige man am höchsten. Sie konnte es auch gar nicht erwarten, Caroline erwachsen und verheiratet zu sehen, und weil sie dieselbe immer nur von ihrer Schönheit und von ihren Ansprüchen zu unterhalten pflegte, ging Caroline ebenso gern zur Großmutter, als die andern von ihr ferne blieben.

Für mich lag, so klein ich war, immer etwas Unheimliches in der kalten, finstern Hinterstube und in dem ganzen Wesen der alten Frau. Besonders machte mir ein großer Schrank von Eichenholz, der, allmählich schwarz geworden, die ganze eine Wand des Zimmers einnahm, den geheimnisvollsten Eindruck. Ich konnte meine Augen nicht davon abwenden und fürchtete mich doch immer davor, dass die Türen einmal aufgehen könnten, ohne dass mein armer kleiner Kopf sich eine Vorstellung davon zu machen wusste, was ich eigentlich hinter den geöffneten Türen Entsetzliches erwartete.

Ich denke, es muss im Jahre achtzehnhundertdrei gewesen sein, als die Eltern mit uns am Neujahrstage zu der Großmutter gingen, ihr zum siebzigsten Geburtstag Glück zu wünschen. Es war des Feiertags wegen still in der Fabrik, und es war auch heller als gewöhnlich in der Stube, denn der Walnussbaum stand kahl, und der Glanz des Schneelichts fiel durch die Scheiben. Die Großmutter hatte ein schweres braunseidenes Kleid angezogen und gegen ihre Gewohnheit ein Frühstück von Kuchen, Wein und Schokolade hergerichtet, die in schönem altem Porzellan und schwerem Silber aufgetragen waren. So klein ich war, fiel mir doch der Gegensatz zwischen diesen Herrlichkeiten und der Stube auf, aber ich dachte, das müsse wohl alles aus dem Schranke kommen, und er wurde mir dadurch nur noch mehr ein Gegenstand der höchsten Neugier.

Die Großmutter schmälte auf niemand und auf nichts an jenem Morgen. Sie war gerührt und sprach von Leben und Sterben, und dass sie nicht erwartet hätte, den siebzigsten Geburtstag zu erreichen. Ich verstand nicht genau, weshalb sie so feierlich und so besonders war, aber ich blieb diesmal nicht ungern bei ihr, als sie den Vorschlag machte, Caroline und mich dazubehalten, bis sie mit uns um zwölf zum Mittag kommen würde. Sobald die andern fort waren, machte sie sich gleich selbst daran, das gebrauchte Silber und Porzellan zu säubern, wobei Caroline, der sie eine Schürze vorband, ihr zur Hand gehen musste. Um mich kümmerte sie sich weiter nicht, und es ist mir oft ein Rätsel gewesen, weshalb sie mich eigentlich zurückbehalten. Ich stand auf einem Bänkchen am Fenster und sah zu, wie die Sperlinge im Hofe sich ihr Futter suchten, wie die Katze auf dem Dach des Hundehauses lag.

Mit einem Male aber hörte ich im Zimmer Schlüssel klappern und hörte, wie die Großmutter zu Caroline sagte, sie wolle jetzt das Silber wegtun. Der große Augenblick, in dem der Schrank sich öffnen musste, war also da, und ich schlich leise von dem Fenster nach einem Platz, auf dem ich den vollen Anblick der geahnten Wunder zu genießen hoffte.

Wunderbar war nun freilich in dem Schranke nichts, aber zu sehen hatte ich genug. Die ganze eine Seite lag voll von blendend weißer, glänzender Wäsche, die mit roten breiten Bändern schön in Packen gebunden war, die andere stand von oben bis unten voll spiegelhellem Silberzeug, dass sie aussah wie eines Goldschmieds Ladenfenster. Caroline musste das alles wohl auch zum ersten Male erblicken, denn sie tat einen Ausruf der höchsten Überraschung, aber die Großmutter fasste sie bei der Hand und befahl ihr leise, still zu sein, während sie sich nach mir umsah und mich fragte, was ich täte.

Ich huschte erschrocken in meine alte Fensterecke, gab aber nur umso gespannter Achtung auf alles, was im Zimmer vorging, und so erinnere ich mich, als wäre es gestern erst geschehen, wie die Großmutter die Schranktüren von beiden Seiten etwas zusammenschlug, dass sie und Caroline darin fast wie in einem Schilderhäuschen standen.

»Caroline«, sagte die Großmutter, »weil ein Tag wie dieser uns nicht wiederkommt, so sollst du heute alles wissen, damit du mich im Angedenken hältst, wie diesen heutigen Tag.« Sie war dabei ganz gerührt, zeigte aber immer in den Schrank hinein und sprach danach immer leiser und schneller zu der Schwester. »Sieh dir nur alles an«, sagte sie, »und merk' es dir und halt's einmal in Ehren, wenn du's haben wirst. Mein Schweiß hat's dir geschaffen, und weil ich's erarbeitet habe mit meiner Hände Arbeit und erspart mit meiner eigenen Entbehrung, darum hat keiner ein Recht daran, und keiner soll es haben, als der, dem ich es gebe, ich allein.«

Die Schwester selbst schien erst nicht zu wissen, was die Großmutter im Sinne habe, denn sie stand ganz versteinert und sagte nichts, bis die Großmutter mit einem Male zu lachen anfing. Ihr Lachen klang immer wunderlich heiser, und diesmal erschrak ich ordentlich davor.

»Die Mama denkt wohl«, sprach sie, »ich wisse nicht, was schön sei, die Mama denkt, ich verstehe es nicht, Silber und Gold zu schätzen, und verstehe nicht Kanten und Brillanten auszusuchen, so gut wie sie! – Ich verstehe es wohl, und besser als die Mama, denn ich kaufe mit selbstverdientem Gelde, und damit kauft man gut. Sieh her, mein Kind, hast du derlei gesehen bei der Mama?« Damit holte sie ganz hinten aus dem Schranke ein wunderschönes rotes Etui hervor, öffnete es, hielt es gegen das Licht, und die Sonne funkelte auf einen ganzen, prächtigen Brillantschmuck.

»Mein Gott, Großmutter!«, rief Caroline. »Wie kommst du dazu? Was machst du damit? Du trägst ja keinen Schmuck!«

»Ich, nein, gottlob, so töricht bin ich nicht; aber du sollst's haben, du sollst's tragen, Liebling, du sollst alles haben, du allein!« Sie nahm dabei die Ohrringe, das Halsband, die Armbänder und die Brustnadel von dem dunkelblauen Samtboden auf und fing an, Carolinen damit zu putzen, die in ihrer Freude sich kaum zu fassen wusste. Sie lief vom Spiegel zum Fenster, vom Fenster zur Großmutter, und je entzückter sie zu sein schien, desto mehr holte die Großmutter aus dem Schranke für sie hervor: Spitzen, Schmuck und alles durcheinander.

Caroline griff bald nach diesem, bald nach jenem, probierte das eine und das andere an, bis die Großmutter es ihr wieder nahm und es weg tat, und Caroline rief dabei, von Zeit zu Zeit die Großmutter umarmend: »Also das ist mein, das schenkst du mir, das ist mein?«

»Ja dein! Nur dein, mein Herzchen!«, sagte die Großmutter und lachte wieder. »Sie sollen doch sehen, dass ich meine Augen habe, sie sollen schon noch merken, wozu es gut ist, was auf mich zu halten, Carolinchen!«

»Aber wann soll ich das bekommen, Großmama?«, fragte Caroline.

»Wann? Zum Hochzeitstag, mein Herzchen! Zum Hochzeitstag! Mach nur, dass du heraus kommst unter Leute, und sprich kein Wort davon, kein Wort, zu niemand, hörst du, Carolinchen?« Sie redeten darauf noch eine Weile fort, bis die Großmama den Schmuck verwahrte, den Schrank verschloss und wir mit ihr nach unserem Hause gingen.

Es war mir, als hätte mir einer ein Märchen erzählt. Solange die Großmama jedoch im Hause war, ließ ich mir nichts merken; kaum aber hatte sie sich entfernt, als ich von den Ohrringen und von Carolinens Halsband zu sprechen und von dem Schrank und den Reden der Großmutter in kindischer Weise durcheinander zu sprechen begann. Anfangs achtete niemand sonderlich darauf, bis Caroline durch ihr abwehrendes Zwischenreden die Mutter aufmerksam werden ließ und nun durch Fragen und Ermahnungen endlich der ganze Vorgang zu der Eltern Ohren kam. Beiden war es höchlich unlieb, dass die Großmutter in dem jungen Mädchen die Eitelkeit und Habsucht also weckte, mehr noch verdross es sie aber, dass sie Caroline in solcher Weise ihren Eltern feindlich gegenüberstellte, und nachdem noch lange und viel davon gesprochen worden, bis am Abend Gäste zu uns kamen, beschloss der Vater, gleich am nächsten Tage zur Großmama zu gehen und sie darüber in allem Ernste zur Rede zu stellen.

Indes, waren die Eltern am Neujahrstage dadurch missgestimmt gewesen, so wurden sie's am nächsten Tage nur noch mehr. Der Vater sprach kein Wort bei Tische, die Mutter war blass und sah ihn ängstlich an, als halte sie ihn für krank. Niemand wusste, was vorging, alle aber hatten das Gefühl, als sei oder werde etwas Übles geschehen, und so blieb es auch den lieben langen Tag und auch den ganzen Abend. Am folgenden Tage war alles wieder vorüber; aber erst nach langen Jahren habe ich erfahren, was damals sich ereignet.

Sobald mein Vater mit der Großmutter wegen Carolinens Bevorzugung und wegen des üblen Einflusses gesprochen hatte, den derselbe auf sie üben musste, war die Großmutter sehr heftig geworden. »Ich bin mein eigener Herr!«, rief sie aus. »Du hast dein Vaterteil erhalten, du wirst auch bekommen, was Recht und Gesetz dir von dem Meinen zuerkennen. Was aber darüber ist, was ich erspart mit meinem eigenen Leibe all die langen Jahre, darüber hat kein Mensch ein Recht, als ich, und wem ich das lassen will, der soll es haben, und es soll nicht verprasst werden und nicht verschwendet.«

Der Vater war auch nicht der Gelassenste, und ungerechte Vorwürfe erträgt kein Mann, auch nicht von einer Mutter. »Ich verschwende nicht«, sagte er und wollte hinzusetzen, dass auch er und meine Mutter gearbeitet hätten und ihr Vermögen selbst vergrößert.

Die Großmutter ließ ihn aber gar nicht zu Worte kommen. »Nein!«, rief sie. »Von dir will ich nichts sagen, von dir will ich nichts gesagt haben. Aber deine Frau, die tut's, die soll nicht.«

»Was tut meine Frau? Was soll sie nicht?«, fragte der Vater. »Wer hat sie zu beaufsichtigen, wer hat ihr zu befehlen außer mir? Und wenn ich billige, was sie tut, wenn ich sie liebe, zufrieden bin –«

»Ja«, meinte die Großmama mit ihrem bösen, leisen Lachen, »wenn du zufrieden bist, wenn du das alles liebst, da ist's denn freilich gut. Da habe ich nichts zu sagen.«

»Aber was wolltest du sagen, Mama, was könntest du auch sagen? Sprich es grad' heraus, dies Hinterhalten ist mir grundfatal. Sprich's endlich einmal aus, was hast du gegen meine Frau, was willst du ihr?«

»Was ich gegen deine Frau habe?«, entgegnete die Großmutter. »Das will ich dir sagen, weil du's hören willst. Ich habe was dagegen, dass sie deine Frau geworden ist.«

Der Vater zuckte die Schultern. »Immer die alte Torheit!«, sagte er wie zu sich selbst, aber die scharfen Ohren der Großmutter hatten es dennoch gehört.

»Nein«, sprach sie leise und ging dicht an ihn heran, »von der alten Torheit habe ich schweigen gelernt, obschon mein Sohn nicht der Mann war, zu dem man sich so lange bitten und nötigen lassen musste, wenn man ihm verlobt gewesen von Jugend an. Aber wer sein Wort schon jung nicht hält, wo Vater und Mutter noch Macht haben, der hält's nachher erst vollends nicht. Von alter Torheit red' ich nicht, nur von der neuen. Aber wenn du zufrieden bist, dann freilich hab ich nichts gesagt.«

Der Vater hielt sich nicht länger. »Mutter«, rief er, »nun ist's genug, nun sagen Sie das letzte Wort! Was ist's mit Josephinen?«

»Nichts«, sagte sie, »nichts! Du weißt es ja und bist damit zufrieden. Aber wenn du glaubst, dass ich damit zufrieden bin, dass dieser Herr

Geheimrat tagaus, tagein im Hause ist, da irrst du. Es haben andere Leute Augen, wenn du blind bist!«

Alles Blut stieg dem Vater ins Gehirn. »Mutter«, rief er, »das vergebe Ihnen Gott!«, und er musste sich niedersetzen und das Haupt in seine Hände stützen, so gingen ihm die Gedanken durcheinander.

Wie er nun so dasaß, trat die Großmutter an ihn heran. »Meinst du denn«, sagte sie, »der Geheimrat kommt um deinetwillen alle Tage in das Haus? Meinst du, die beiden haben's dir vergessen, wie es zwischen ihnen war, und dass du ihnen in den Weg getreten bist? Was macht sich denn so ein vornehmer Edelmann, so ein Geheimrat aus Zucht und Ehre in eines Bürgers Haus? Warum heiratet er nicht, wenn er Josephinen nicht immer noch liebt? Was sieht die Josephine denn anders als Leichtsinn und wüstes Wesen in der Gesellschaft, in der ihr lebt und auf die ihr beide stolz seid? Warum will sie denn die Caroline nicht in die Gesellschaft nehmen? Warum muss das große Mädchen, das selbst Mann und Kinder haben könnte, wie ein Schulkind in der Kinderstube sitzen, als damit die Welt nicht sieht, wie alt die Mutter ist, damit der Geheimrat nicht bemerkt, wie lange es her ist, dass er die Mutter liebte? Was soll der Onkel auch im Hause? Was soll der Onkel Carolinen? Schafft dem Mädchen einen Mann, und schafft sie fort, dass sie's nicht länger anzusehen braucht!«

Jedes Wort bohrte sich dem Vater langsam und schmerzlich wie ein stumpfer Dolchstoß in die Brust. Er hatte die vollste Zuversicht zu meiner Mutter, er hatte auch gegen Schlichting bis jetzt kein Misstrauen gehegt, aber manche von den Männern und Frauen, mit denen meine Eltern Umgang pflogen, nahmen es mit der Ehe und der Treue nicht genau, und über Verirrungen des Herzens dachte man in jenen Tagen anders als in dieser Zeit. Denkbar war es freilich, dass unserer Mutter Herz noch immer dem Geliebten ihrer Jugend anhing, auffallend war es, dass Schlichting sich nicht verheiratete. »Und wenn es wäre? Wenn es wäre?«, dachte er. Ihm schwindelte das Gehirn. Er konnte den lauernden Blick der Großmutter nicht so auf sich ruhen fühlen. Dass sie, dass seine eigene Mutter ihm dies höchste Leid mit solcher Wollust antat, zerriss ihm vollends das Herz. Sie stand wie ein böser Geist an seiner Seite.

Mit einem Male erhob er sich. »Wohin gehst du?«, fragte die Großmutter, erschrocken über seine plötzliche Entfernung.

»Ich gehe mir Trost holen bei meiner Frau für das Leid, das Sie, das meine Mutter mir getan hat«, sagte er bewegt und kurz, und verließ die Stube.

Aber so fest und entschieden der Vater gehandelt hatte, so verstört sah es in seinem Innern aus. Er konnte seine Zweifel nicht verbannen und fühlte doch eine tiefe Scham, wenn er nur daran dachte, sie vor meiner Mutter auszusprechen. Sie sah es ihm beim ersten Blicke an, dass etwas Besonderes und Unheilvolles sich begeben haben müsste, sie fragte auch gleich, was vorgegangen, was in Bezug auf Caroline gesprochen worden sei, indes sie bekam keine Antwort. Er werde es ihr später sagen, bedeutete der Vater. Das hatte die Mutter noch nicht erlebt, und ihre schweigende Sorge machte sie still und niedergeschlagen.

Der Vater bemerkte es und deutete es auf seine Weise. »Sie wird ahnen«, dachte er, »was die Mutter mir gesagt hat, ihr Gewissen ist erwacht. Sie liebt den andern! Sie hat mich also nie geliebt!« Wenn solch ein Gedanke einem vertrauenden Manne nach siebzehn Jahren seiner Ehe kommt, so ist das etwas anderes, als wenn ein Jüngling Eifersucht empfindet. Es ist ein Erdbeben mit all seiner schrecklichen Zerstörung, denn der Boden wankt, auf dem man das eigene Leben und das Dasein der Familie aufgerichtet hatte.

Am Abende, als wir alle schon zur Ruhe gegangen waren, saßen die Eltern noch allein beisammen. Die Mutter pflegte in den späten Stunden oft ein gutes Buch zur Hand zu nehmen, der Vater las dann seine Zeitung, und was sie zu beraten hatten, wurde meist in der Zeit zwischen ihnen abgemacht. Auch jetzt saßen sie nebeneinander, aber obschon sie beide lasen, war ihnen die Stille, die im Zimmer zwischen ihnen herrschte, unheimlich und beängstigend.

Die Mutter wusste, dass der Vater etwas auf dem Herzen hatte, und weil sie nicht denken konnte, es sei gegen sie gerichtet, so legte sie das Buch zur Seite und sagte: »Lass mich doch nicht in solcher Ungewissheit, Anton. Was war es mit der Mutter, was hat dich denn so sehr verstimmt?«

»Nichts, im Grunde – und doch! – wir sind nicht gut geschieden. Lass es ruhen – das heißt, für heute!«, sprach er. Er tat dann, als finge er wieder an zu lesen, die Mutter konnte sich aber nicht damit beruhigen.

»Was soll denn nun mit Caroline werden?«, fragte sie. »Hast du der Mutter auch vorgestellt, wie sie das Mädchen verdirbt? Caroline kommt sich plötzlich wie eine Millionärin vor.«

»Warum führst du Caroline nicht in die Welt?«, unterbrach sie der Vater plötzlich mit einer Härte, welche der Mutter an ihm völlig fremd war.

»Wie kommst du zu der sonderbaren Frage?«, fragte sie. »Wir waren ja darüber einig, dass sie in diesem Jahre noch – nicht in die Gesellschaft sollte.«

»Aber was hast du dagegen?«, rief er. »Die Großmutter legt Wert darauf, ich selber habe nichts dawider, Caroline ist erwachsen, und dir selber – dir selber muss es ja doch auch willkommen sein. Es gibt dir einen Halt, und –«

»Einen Halt?«, wiederholte die Mutter, indem sie ihn verwundert ansah. »Wozu sollte mir ein Halt?«

Der Vater war selbst erschrocken, als er die Worte ausgesprochen hatte, er schämte sich vor seinem eigenen Gewissen, aber wenn einmal der böse Geist über einen Mann gekommen ist, da rennt er lieber mit dem Kopfe in sein Unglück, eh' er einen Irrtum oder gar ein Unrecht eingesteht. »Nun, Schlichtings wegen!«, sagte er mit dem Trotze eines Menschen, der sich auf einem falschen Boden weiß, aber er konnte kein Auge aufheben und auch den Blick der Mutter nicht ertragen.

»Schlichtings wegen?«, fragte sie, und eine böse Ahnung dämmerte in ihr auf. »Was soll's mit Schlichting, was hat die Mutter dir gesagt?«

»Die Mutter?«, rief er. »Wie kommst du auf die Mutter?« Es verdross ihn, dass seine Frau ihn abhängig von den Einflüssen der Mutter glaubte, und, sich in seinem Wahne befestigend, setzte er hinzu: »Ich habe Augen, selbst zu sehen!«

»Du hast gesunde Augen und ein reines Herz, so Niedriges kommt nicht von dir!«, sagte die Mutter und sah ihm dabei mit ihren großen, klaren Augen offen und ruhig in das Antlitz. Diese Ruhe entwaffnete ihn plötzlich. Er war nicht mehr imstande, sie anzuklagen, aber die Wunde, welche seine Mutter seinem Herzen und seinem Stolze beigebracht, blutete doch fort, und er wendete sich mit einem schweren Seufzer von ihr ab, während das Gefühl seines Unglücks in jedem seiner Züge zu lesen war.

Die Mutter hielt's nicht aus, ihn so zu sehen. Sie vergaß das Unrecht, das er ihr getan. »Anton«, sagte sie, indem sie seine Hand ergriff, »ich bin seit siebzehn Jahren deine Frau!«, und der Ton, mit dem sie das aussprach, ging ihm, weil er so wahr aus ihrer Seele kam, auch zu Herzen; doch vermochte er nicht zu sprechen, der Hals war ihm wie zugeschnürt. »Was hab ich dir und mir zuleide getan?«, fragte sie wieder und noch bittender.

»O nichts, nichts!«, rief er mit dem Ausdruck eines tiefen Schmerzes. »Ich weiß, du kannst nicht lügen! Du hast entsagt, gekämpft, ich habe dich nicht anzuklagen – aber –« Er hielt inne, als widerstrebe das Wort seinem Munde, als möge er vor sich selber nicht einmal aussprechen, was er denke. Indes sein Schmerz verlangte nach Befreiung, und fast gewaltsam stieß er hervor: »Aber du hast mich nie geliebt, du liebst nur ihn!«, und, beide Hände vor dem Gesicht zusammenschlagend, rief er: »Sich das sagen müssen nach so langer Ehe!«

Die Mutter fühlte sich wie gelähmt durch diese Worte, denn in ihr lebte die Zuversicht der langen, fest gewohnten Treue, die nicht mehr an die Möglichkeit des Zweifels und des Wankens denkt. Den Mann, den Vater ihrer Kinder unter dem Einfluss einer solchen Eifersucht, voll entehrenden Verdachtes gegen sie zu finden, darauf war sie nicht vorbereitet, dagegen wusste sie sich nicht zu helfen, und wie von einem Instinkt getrieben eilte sie ins Nebenzimmer, wo wir schliefen, als müsste sie Schutz bei uns, bei ihren Kindern finden.

Der Vater ging ihr nach. Wir schliefen alle. Die Mutter stand vor unseren Betten und hatte die Hände gefaltet, die Tränen fielen ihr aus den Augen. Vor unserem Anblick, unserem sanften Schlafe, vor dem Anblick unserer weinenden Mutter löste sich die Starrheit auf, die ihm den ganzen Tag das Herz zusammengepresst hatte. Er trat an die Mutter heran und nahm ihre Hand. »Vergib mir!«, sagte er, und in demselben Augenblicke hing die Mutter auch an seinem Halse, um sich an ihm auszuweinen. Er küsste sie, sie küssten auch uns Schlafende, dann führte er sie hinaus, uns nicht zu stören, und bat sie, des Vorgangs nun für ewig zu vergessen.

Aber die Mutter konnte nicht davon schweigen, bis alles klar war zwischen ihnen und die Rückkehr solchen Zweifels nicht mehr möglich. Sie hielt ihm ihr beiderseitiges ganzes Leben vor, die ruhige, liebevolle Neigung, die zwischen ihnen aufgewachsen war, sie erinnerte ihn an alles, was sie miteinander durchgemacht, an alles, was sie einander geworden waren, und sie fragte ihn dann, ob er noch glauben könne, sie habe sich einem andern zugewendet, einem Manne, dem er selbst sein Haus geöffnet? Es war dabei von keiner Leidenschaft die Rede, sondern sie hielt sich an das einfache Empfinden, das Eheleute nach so langen Jahren aneinanderkettet, und sie verlangte auch nichts von ihm, als Glauben an ihre Wahrheit und Rechtlichkeit. Den konnte und musste er haben, und so wurde die Versöhnung zwischen ihnen eine wirkliche und dauernde, von der die Mutter die besten Folgen hatte. Der Einfluss, den die Großmutter stets auf den Vater ausgeübt, war damit ein für alle Mal gebrochen. Sie kam noch seltener in das Haus, Caroline durfte nicht mehr allein zu ihr gehen, und Schlichting blieb der Mutter ein treuer, ehrenhafter Freund, der auch dem Vater mit jedem Jahre werter und endlich unentbehrlich wurde, je ernster die Zeiten sich gestalteten.

Und ernst genug sah es bald in unserem Vaterlande aus. Der Krieg hing über unsern Häuptern in der Luft, selbst in der Kinderstube sprachen die Mägde davon, und kamen wir in das Zimmer, in dem die Eltern waren, so hörte man immer nur von den ernsten und schweren Zeiten reden. Es kamen zwar noch Gäste, aber man war nicht mehr so heiter wie zuvor, alle schienen sich geändert zu haben, und niemand mehr, als der Onkel, wie wir Schlichting alle nannten. Er war viel auf amtlichen Reisen, kam also selten ins Haus, und war er da, so wurde erst recht sorgenvoll von der Zukunft und von der Zeiten Ernst gesprochen.

Auf Kinder wirken die Mienen der Erwachsenen, wie die äußere Atmosphäre auf diese selbst einwirkt. Wir wussten nicht, was eigentlich passierte, was geschehen könnte, aber wir hatten doch nicht mehr den alten heiteren Himmel über uns. Wir sollten lernen, uns Kenntnisse erwerben, damit wir uns einmal selber helfen könnten in der Welt; wir mussten es oft hören. Niemandem werde sein Schicksal an der Wiege vorgesungen, es sei alles wandelbar, man dürfe sich also nicht verwöhnen. Das klang alles unheimlich und zog schattenhaft und trüb an uns vorüber, und da vollends zu Anfang des Jahres achtzehnhundertsechs die Großmutter verschied und wir alle in die schwarze Trauertracht gekleidet wurden, dachte ich, nun sei es mit allen bunten Farben und aller Lust und Heiterkeit auch ein für alle Mal vorbei. Es wurden der Trauer wegen keine Gesellschaften gegeben, die Mutter ging auch mit den großen Schwestern nicht zu Bällen, und wir Kleinen fragten nur immer, was denn Caroline mit den Herrlichkeiten und den Diamanten aus dem großen Schranke machen würde, an welche sich eine traditionelle Erinnerung unter uns erhalten hatte.

Aber der Krieg rückte immer näher, Handel und Wandel gerieten ins Stocken, der Vater hatte viele Verluste zu erleiden, und im Herbste war es mit allen heitern Aussichten in die Zukunft nun vollends für lange Zeit vorbei. Die Schlachten bei Saalfeld und Jena wurden geschlagen und verloren, der schöne Prinz Louis Ferdinand, den wir Kinder alle so oft gesehen und angestaunt, war umgekommen, die Feinde rückten in das Land, der König musste fliehen, alle Minister und die zu ihren Büros gehörenden Beamten folgten ihm. Ich erinnere mich noch deutlich jenes Abends, an dem Schlichting Abschied nahm. Er war mit seinem Minister im Hauptquartier gewesen und kam mit ihm noch einmal nach der Residenz, ehe sie nach Preußen gingen. Die Eltern weinten beide, Schlichting war ernst und still. Wir Kinder klammerten uns schluchzend an ihn, denn wir hatten unsere Fantasie jetzt nur voll Krieg und Schlachten und Todesfälle und meinten, da der Onkel fortgehe, werde er auch im Krieg sein Leben lassen müssen.

Am nächstfolgenden Abende aber musste das Haus erleuchtet werden, denn der Kaiser Napoleon zog ein, und mitten in unserer Trauer um den Onkel fingen wir doch an, uns der Paraden und der Illuminationen zu freuen. Es wurden mit einem Male wieder Feste in der Stadt gegeben; die Wohlhabenden durften sich kaum davon entfernt halten; die Offiziere, welche überall in den Familien einquartiert waren, brachten auch ein neues Leben in die Geselligkeit; indes wir merkten doch, wie niedergeschlagen die Mutter war, wenn sie ihre Toilette für die Feste machte, und wie wenig die Gastfreundschaft für die fremden Offiziere den Eltern von Herzen ging.

Wir hatten alle von Kindheit an das Französische womöglich wie unsere Muttersprache reden lernen, denn unsern Eltern war es in der Tat angeboren, aber weder der Vater noch die Mutter mochten es mit uns oder miteinander sprechen, seit die Franzosen als Feinde unseres Königs im Lande waren; nur Caroline legte jetzt einen doppelten Wert darauf.

Sie hatte sich in einen französischen Jägerleutnant verliebt und schwärmte mit ihm für den Kaiser und für den Ruhm der großen Nation. Wenn die Eltern ihr das als ein Unrecht zum Vorwurf machten, so sagte sie, wir wären Franzosen und nicht Preußen; sie habe nur französisches Blut in ihren Adern, und all ihr Sinnen und Trachten war auf Paris gerichtet. Die Eltern hatten also neben den allgemeinen und neben ihren besonderen Sorgen auch noch Kummer und Unfrieden mit dem eigenen Kinde zu bestehen, und da Caroline wirklich die einzige Erbin der Großmutter geworden war und dadurch Aussicht auf ein unabhängiges Vermögen hatte, machte das sie nur noch fester auf ihrem Sinn beharren. Ohne die Zustimmung, ja gegen den Willen der Eltern gab sie dem jungen Bernier ihr Verlobungswort, und als er mit seinem Regimente dann Berlin verließ, sah sie sich als seine Braut an und stand auch heimlich in brieflichem Verkehr mit ihm.

Ein paar Jahre gingen so hin, des Leutnants Regiment ward zu dem österreichischen Feldzug kommandiert, Caroline war trostlos darüber, denn sie erhielt nun selten Nachrichten, und zu Hause sah es im Übrigen auch nicht heiter aus. Des Vaters Lage verschlechterte sich mehr und mehr. Die inländische Seidenfabrikation konnte mit der französischen Einfuhr nicht konkurieren, die Abgaben, die Kriegskontribution waren fast unerschwinglich und lasteten auf dem Gewerbtreibenden am schwersten, weil seine Kapitalien nicht rentieren konnten und er doch nach denselben abgemessen wurde, und jeder von uns konnte es sehen, dass meines Vaters Gesundheit diesen schweren Sorgen nicht gewachsen war.

Die Mutter tat, was sie konnte, ihm das Leben zu erleichtern. Sie änderte und beschränkte die ganze häusliche Einrichtung, so weit sich dies ohne aufzufallen tun ließ, sie schaffte einen Teil der Dienstboten ab, hielt die Schwestern zur Arbeit an, jedoch das alles konnte nichts Wesentliches fruchten. Schon als der König endlich zum Weihnachtsfeste des Jahres achtzehnhundertneun in seine Residenz zurückkam, war unser Vater kränklich. Er konnte nicht mitgehen, das jubelnde und doch so tränenreiche Wiedersehen des Königs und seines Volkes mitzufeiern, und wenn er sich auch der Hoffnung hingab, es würden jetzt bessere Zeiten beginnen, so half das seinen Kräften nicht mehr empor, denn bald nachdem im Frühjahr die schöne, junge Königin gestorben war, legten sie auch unsern Vater in die Grube.

Ich war damals dreizehn Jahre alt und reifer geworden, als Kinder in diesem Alter sonst zu sein pflegten, denn die Ereignisse, welche man damals erlebte, waren der Art, dass die kindliche Sorglosigkeit davor entweichen musste. Ich hörte nun obenein nach meines Vaters Tode unablässig von den Geschäftsverhältnissen sprechen, und meine Mutter war als unsere Vormünderin wie ein Mann bemüht, den schwankenden Wohlstand ihrer Familie herzustellen. Sie übernahm die Oberaufsicht über das Geschäft, sie verhandelte täglich die nötigen Angelegenheiten mit dem Disponenten, wobei die früher unter meines Vaters Leitung erworbene Einsicht ihr sehr zugute kam. Sie vermietete den größten Teil unseres Hauses; die Familie, die sich sonst in freier Behaglichkeit darin ausgebreitet, musste sich jetzt mit einer Hälfte des oberen Stockwerks begnügen, und ich erinnere mich sehr deutlich, welchen Eindruck es mir machte, als wir alle in der schwarzen Trauerkleidung um den Esstisch des Zimmers saßen, das nun Wohn- und Speisestube und Salon und alles in allem sein musste. Meine Mutter klagte um diese Einschränkungen niemals. Sie war zu sehr beschäftigt, hatte ihren Sinn zu sehr auf die augenblicklichen Bedürfnisse und auf die Zukunft ihrer Kinder gerichtet, um persönlich an irgendeine Entbehrung zu denken oder etwas anderes zu betrauern, als den frühen Tod ihres Mannes, und selbst die allgemeine Teilnahme und Achtung, welche ihr tapferes Wesen erregte, schien sie wenig zu beachten.

Seit Schlichting mit dem Hofe nach Berlin zurückgekehrt war, kam er wieder täglich zu uns, und wir alle wussten es, dass er der Mutter einziger Berater war. Er kümmerte sich um alle unsere Angelegenheiten, jeder einzelne von uns wendete sich an ihn, und es war keiner, dem der Onkel nicht in seinem inneren Wesen förderlich gewesen war. So war er es auch, der die Mutter zu bestimmen suchte, ihren jüngeren Töchtern eine ernstere, wissenschaftliche Erziehung geben zu lassen, aber in diesem einen Punkte stieß er auf Widerstand. Die Mutter hatte ebenso wohl eine Abneigung gegen die Pedanterie, als gegen die falsche Genialität, denen man damals bei vielwissenden Frauen noch häufiger als jetzt begegnete, und da sie sich bewusst war, ohne besondere Bildung doch allen ihren Pflichten im höchsten Sinne des Wortes zu entsprechen, so beharrte sie dabei, uns ganz nach ihrem eigenen Wesen zu erziehen. Wir lernten eben nur die Elementarwissenschaften, Französisch und ein wenig von Musik und Zeichnen, das Übrige sollte nach der Mutter Ansicht uns eigenes Bestreben und der Verkehr mit Menschen erwerben.

Freilich habe ich bei dieser Methode es nicht weit gebracht, ja ich schrieb und sprach das Deutsche selbst nicht richtig, als ich mich verheiratete, aber das waren auch Dinge, welche man damals nicht als unerlässlich ansah, vorausgesetzt, dass ein Mädchen oder eine Frau nur zu gefallen wusste; denn gerade weil das öffentliche Leben damals so ernst und schwer geworden war, suchten die Männer Erholung und Trost in der Familie, bei den Frauen, und das Beispiel der musterhaften Ehe unseres Königs hatte angefangen, die häuslichen Tugenden und das Familienleben zu einer Ehrensache zu erheben.

Während aber diese ernstere Richtung, diese Umgestaltung im Familienleben sich still entwickelte, ging die äußere Geselligkeit der Hauptstadt ihren rauschenden Gang. Die ganze europäische Gesellschaft war durch die Kriege aufgeregt und durcheinander geworfen worden. Fast jeder hatte hintereinander unerwartete Glückszufälle und harte Schicksalsschläge erleiden müssen, Tausende hatten schnell Freundschafts- und Herzensverhältnisse geknüpft, und Entfernung, Leichtsinn oder der Tod hatten diese dauerhaft geglaubten Bündnisse zerstört. Ein Hang zu schnellem Leben in dem raschen Daseinswechsel, und daneben wieder eine Sehnsucht nach Bleibendem und Ewigem hatte sich der Menschen bemächtigt, sodass schrankenlose Genusssucht und ein Ringen nach innerer Selbstvollendung, dass höchster, verschwenderischer Luxus und Rückkehr zu strenger Einfachheit, dass sinnliche Frivolität und tiefe Frömmigkeit, dass Begeisterung für die französische Weltherrschaft und feuriger Patriotismus sich überall dicht nebeneinander begegneten.

Ich glaube, keine Zeit in diesem Jahrhundert hat so viel leidenschaftliche Verhältnisse, so aufgeregte Männer und Frauen gesehen, als eben jene Tage. Bei der Ungewissheit aller Zustände gewannen alle Empfindungen einen leidenschaftlichen Anstrich. Romantische Liebesgeschichten, Ehescheidungen, Entführungen waren an der Tagesordnung, und wie denn die geistige Atmosphäre der Zeit auf jeden Menschen einwirkt, der in ihr lebt, so nahm das alte Attachement des Onkels für unsere Mutter nun allmählich auch eine andere und wärmere Gestalt an.

Meine Mutter hatte es nach Beendigung des Trauerjahres für ihre Pflicht gehalten, ihre beiden erwachsenen Töchter wieder in die Gesellschaft zu führen, besonders weil Carolinens Geliebter in Paris eine reiche Frau geheiratet hatte und Caroline dadurch in eine so wilde Verzweiflung und dann in eine so menschenfeindliche Bitterkeit verfallen war, dass die Mutter es als ihre Aufgabe erkannte, ihre Tochter zu zerstreuen und einer milderen Stimmung zugänglich zu machen. Sie hielt ihr jetzt selber vor, dass sie ja jung und angenehm und obenein vermögend sei, dass sie eine neue Liebe fassen, neuer Liebe begegnen könne; aber Caroline ging auf das alles wenig ein, und es war, als ob sie die Gesellschaft und den Verkehr mit Männern sich nur gefallen ließe, weil sie dabei Gelegenheit fand, ihnen ihre herben Sarkasmen und ihre Geringschätzung fortwährend kundzugeben. Unliebenswürdiger, als sie damals war, habe ich nie ein Frauenzimmer gekannt. Sie schmückte sich auf das Äußerste, man sah, sie wollte gefallen, Eroberungen machen, aber es geschah nur, um fortzustoßen, was sich ihr näherte, um leiden zu machen, weil sie selber litt. Sie war kokett geworden aus Herzzerrissenheit. Die Mutter, die sonst strenge gegen Carolinens Eitelkeit und Putzsucht gewesen war, hatte jetzt Mitleid mit ihr und behandelte sie mit weicher Schonung; das machte aber keinen Eindruck auf sie, und wir alle hatten von ihrer üblen Laune so viel zu dulden, dass ich glaube, jeder von uns wünschte die Verheiratung der Schwester, um sie aus dem Hause fortzuhaben.

Eines Abends, als die Mutter mit Caroline und Antoinette auch zu einem Balle gehen sollte, hatte sie sich schon früher angekleidet und war mit mir allein im Zimmer. Ich sehe sie noch vor mir in ihrem schwarzen Atlaskleide mit dem hohen Stuartkragen, der ihren schönen Hals und ihre Büste teilweise frei ließ, und mit dem Netz von dunkelroter Seide, das sie sich leicht gepufft durch ihre blonden Flechten und Locken zog. Sie war so schön, dass ich sie küssen musste, und als in diesem Augenblicke der Onkel eintrat, rief ich ihm entgegen: »Sieh einmal, Onkel, wie schön die Mama heute aussieht, viel schöner als Caroline und auch als Antonie! Findest du das nicht?«

»Sprich nicht so kindisch, Julie!«, sprach die Mutter tadelnd, band einen roten Schal um, der auf dem Sofa lag, und der Onkel sagte gar nichts. Ich sah aber, dass er die Mutter unverwandt betrachtete, und hatte das sichere Empfinden, er teile meine Freude über ihre Schönheit. Nach einer Weile ging ich hinaus; als ich dann wiederkehrte, fand ich die Mutter noch auf dem alten Platze, aber der Onkel war fortgegangen, und sie hatte offenbar geweint.

Ein dunkles Empfinden warnte mich, sie um die Ursache ihrer Tränen, um des Onkels Entfernung zu befragen. Ich wusste selbst nicht, was ich dachte, oder weshalb sie mir so leid tat, aber ich fiel ihr um den Hals und küsste sie. Sie schloss mich mit großer Zärtlichkeit an ihre Brust, küsste mich auch mehrmals und ich fühlte ihre warmen Tränen auf meiner Stirn. Indes sie ließ mich schnell wieder los, und indem sie mich streichelte, sagte sie: »Du bist ein gutes, gutes Kind! Nun sei aber still, Julie, und gehe nachsehen, ob die Schwestern fertig sind.« Damit trat sie an den Spiegel, netzte ein Tuch mit Wasser, ihre Augen zu kühlen, und von dem ganzen Vorgang war nicht mehr die Rede. Erst als ich lange schon verheiratet und meine Mutter tot war, habe ich erfahren, was an dem Abend geschehen, und wie meine Mutter ihre Zukunft und ihr Verhältnis zu dem Onkel ein für alle Mal festgestellt, indem sie es ausgeschlagen, seine Frau zu werden. Auf ihre Ehe mit meinem Vater durch diese zweite Heirat einen Schatten zu werfen, Trost und Freude in einer neuen Ehe zu suchen, während ihre älteste Tochter eine unglückliche Liebe zu bekämpfen hatte, sich als Neuvermählte neben meine Schwester Antonie zu stellen, die selber Braut war, das widerstand ihr alles, und der Onkel wusste ihr Empfinden zu würdigen und zu ehren.

Die Mutter hat seit meines Vaters Tode nur für uns gelebt und ganz allein unser Dasein in schicklichster Weise aufrecht erhalten, bis im Jahre elf mein Bruder in das Geschäft eintrat, der bis dahin zu seiner Ausbildung in Lyon gewesen war. Indes zur Ruhe konnte sie auch dann nicht kommen, denn Ruhe fand in jenen Tagen niemand.

Der nächste Sommer brachte den Krieg gegen Russland, den Durchmarsch der großen Armee, und der Winter die furchtbare französische Retirade mit ihrem Gefolge von Not und tödlichem Siechtum. Die ganze Stadt lag voll Verwundeter und Kranker. Jedes Haus, jede Familie hatte Blessierte zu pflegen, während man für das Leben der Seinigen zitterte. Auch unser Haus blieb nicht verschont. Mein zweiter Bruder starb am Typhus wenige Tage nach Antoniens

Hochzeit, und obschon wir durch die Einquartierung uns auf zwei Stuben eingeschränkt befanden, kamen dieselben uns doch leer und öde vor, nachdem die Schwester fort und der Bruder uns entrissen worden war.

Sooft ich jetzt die Menschen über den Mangel an Raum in ihren Wohnungen sprechen höre, wenn sie behaupten, das oder jenes gehe in ihrem Lokale, bei ihren Mitteln nicht, so denke ich an jene Zeit zurück, in der alles ging und alles möglich war, weil es eben gehen musste und weil es Größeres zu denken, Größeres zu verlieren und zu gewinnen gab, als äußere Bequemlichkeiten des Lebens, die man in der langen, ruhigen Friedenszeit zu überschätzen sich gewöhnt hat.

In dem ungeheuren Elende, in der riesigen Vernichtung, die man vor sich sah, verstummte der Schmerz des Einzelnen fast schamhaft. Wo so viel Tausende in grässlichen Qualen untergegangen waren, wagte man kaum über den Tod des Einzelnen zu klagen, und vollends in Berlin waren die Zustände und Verhältnisse so wunderbar geartet und verwirrt, dass alle Gedanken in die Zukunft gerichtet waren, die endliche Entscheidung und Lösung der Verwirrung zu erraten.

Wir waren noch im Bündnisse mit Frankreich, es ging sogar die Rede, der Kronprinz werde sich mit einer französischen Prinzessin vermählen, und doch knirschten Hunderttausende seit Jahren unter dem französischen Joche, doch sehnten Millionen das Ende der Fremdherrschaft herbei. Berlin war voll von Franzosen, am Hofe fanden sie die glänzendste Aufnahme, in der Stadt musste ihnen eine zuvorkommende Gastlichkeit bewiesen werden, und doch wusste man, dass Yorck die Fahnen des Kaisers verlassen hatte, doch konnte man den Jubel kaum unterdrücken, als die alten, treuen Ostprovinzen gegen die Franzosen sich erhoben. Es war wie im Frühjahr, wenn der Schnee noch die Erde deckt und jeder des ersten Sonnenstrahles harrt, weil er weiß, dass alles zum Aufgehen und Hervorbrechen reif geworden ist unter der verbergenden Hülle der kalten, stillen Schneedecke.

Die Eltern und der Onkel waren von jeher mit ihrem ganzen Herzen bei der Sache des Vaterlandes gewesen, und auch wir hatten von Kindheit an gelernt, sie heilig zu halten. Jetzt, wo der erste Hoffnungsstrahl zur Befreiung Preußens aufging, war unsere ganze Seele darauf gerichtet, und selbst Caroline, die sonst allein unter uns diesen Empfindungen fremd geblieben, glaubte jetzt Deutschland zu lieben, weil sie den Franzosen hasste, der ihr seine Treue gebrochen hatte.

Wo man sich auch befand, im eigenen Hause, in der Gesellschaft oder am öffentlichen Orte, überall war man von Franzosen umgeben, überall sah man sich genötigt, sein Inneres zu verbergen; aber überall suchten die Blicke nach Trost, überall trat man zusammen, um aus dem Munde Gleichgesinnter Nachrichten aus Königsberg, aus dem Hauptquartier Yorcks, aus den aufgestandenen Provinzen zu erhalten. Wer dorthin gesendet wurde, den pries man glücklich, dass er die Erhebung mit eigenen Augen sehen sollte, wer von dort kam, wurde wie der Träger göttlicher Offenbarung begrüßt.

Aber je größer die Teilnahme für die deutsche Sache wurde, je unverkennbarer die allgemeine Begeisterung für dieselbe sich kundgab, umso ängstlicher und drückender wurden wir vom Misstrauen der Franzosen überwacht. Niemand war sicher in seinen vier Wänden, selbst den König glaubte man im Schlosse zu Potsdam schon gefährdet, obschon er es immer noch mit den Franzosen hielt, bis plötzlich sich die Nachricht in Berlin verbreitete, der König habe Potsdam verlassen, die königliche Familie sei ihm gefolgt und alle in Breslau glücklich eingetroffen. Die Rührung, die Freude, welche wir damals empfanden, den König frei und als Herrn seines Willens zu wissen, die fühlen unsere jetzigen Tage uns nicht nach.

Eine gute Botschaft folgte nun der andern, und gut nannten wir alles, was uns der Freiheit entgegenführte, auch wenn man es mit Blut und Tränen zu erkaufen hatte. Während die Stadt noch voll von Franzosen war, eilten die jungen Männer nach den Ostprovinzen, sich der neuen Landwehr zuzugesellen, und als am Ende Februar unerwartet die ersten Kosaken, unsere sogenannten Feinde, in Berlin erschienen, war der Jubel über ihre Ankunft so gewaltig, dass man einen Aufstand in der Stadt, dass die Franzosen eine sizilianische Vesper zu fürchten begannen.

Ich werde wieder jung, wenn ich jener Tage gedenke, wenn ich mich des Enthusiasmus erinnere, der uns belebte, als wir zum ersten Male die preußische Kokarde an dem Hute unserer Brüder und Väter sahen, wenn ich mich des Tages erinnere, da die Franzosen Berlin verließen, da der Aufruf des Königs an sein Volk erscholl. Es war eine heilige, eine große Zeit, die rechte Weihezeit des deutschen Volkes, und jeder von uns hat in ihr einen Stern gewonnen für sein ganzes Leben, auf den er hoffnungsvoll zurückblickt, wenn die Tage um ihn trüb und trüber werden.

Alles eilte nun zu den Waffen, nicht Jung, nicht Alt wollte von dem Kampfe für das Vaterland zurückbleiben. Dreimal hatte mein Bruder es versucht, zum Dienste zugelassen zu werden, und immer war er wie ein Verurteilter heimgekehrt, wenn die Ärzte ihn zu schwach gefunden hatten. Wir weinten um sein Bleiben, wie man sonst das Fortgehen seiner Lieben zu beweinen pflegt.

Eines Morgens, als wir auch beisammen saßen, es war im Februar, trat der Onkel ein. Er war trotz seiner fünfzig Jahre noch ein schöner Mann und hatte die hohe, würdige Haltung seines alten, adeligen Geschlechtes; aber an jenem Tage war es, als ob noch eine ganz besondere Würdigkeit, ein ganz besonderer Adel über ihm schwebten.

»Ich komme Abschied nehmen«, sagte er, da er sich nahte, und sein Gesicht leuchtete in hoher Freude.

»Abschied nehmen?«, fragte die Mutter. »Wohin wollen Sie denn gehen?«

»Zum König nach Breslau. Es fehlt dem Heere an Offizieren, ich war einst Offizier und will's jetzt wieder werden«, antwortete der Onkel, und während die Mutter mit plötzlich gefalteten Händen schweigend zu ihm, dem Stehenden, emporsah, fiel ich ihm in meiner Begeisterung um den Hals.

»Onkel«, jubelte ich, »ich habe dich immer lieb gehabt, immer sehr lieb, aber dass du nun gehst, dass du helfen willst, wo alle helfen müssen, das vergesse ich dir in meinem Leben nicht. Dafür will ich dich noch ganz anders lieben und verehren, wenn du wiederkommst.«

»Wenn ich wiederkomme!«, sprach der Onkel mir nach, und seine Stimme klang bewegt. Ich sah ihn, ich sah meine Mutter an; dass er nicht wiederkehren könne, daran hatte ich in meiner Erregung nicht gedacht.

»O du wirst nicht sterben!«, rief ich. »Siehst du, Onkel, siehst du, Mutter, ich habe die felsenfeste Überzeugung, dass der Onkel gesund zurückkommt, dass ihm nichts geschieht. Gewiss nichts, Onkel!«

Er lächelte und strich mir mit der Hand leise über die Stirne. »Das gebe Gott«, sagte er, »denn ich mag noch gerne leben. Indes habe ich seit Wochen meine Angelegenheiten darauf vorbereitet, dass ich gehe, und für alle Fälle vorgesorgt. Komme es dann, wie's Gott gefällt.« Er war so ruhig, dass ich plötzlich zu weinen anfing; auch die Mutter hatte die Augen voller Tränen und konnte gar nichts sprechen, nicht einmal fragen, wann er gehen werde. Er schwieg einen Augenblick, als habe er die eigene Bewegung zu besiegen, dann hieß er mich das Zimmer verlassen.

Als ich hinaus war, setzte er sich zu meiner Mutter nieder und nahm ihre Hand, die sie ihm willig überließ. Er schien nachzudenken und doch nicht zu wissen, wie er es der Mutter sagen sollte, was ihm auf der Seele lag und was gesagt und schnell gesagt sein wollte, denn damals waren jedem die Augenblicke zugezählt.

»Josephine«, sprach er endlich, und es war das erste Mal seit den frühen Tagen ihrer Jugend, dass er meiner Mutter diesen Namen gab, »Sie haben es vor Jahren ausgeschlagen, meine Frau zu werden, mir die Sorge für Sie und die Ihrigen zu überlassen, und ich habe Ihre Gründe ehren müssen. In diesen Tagen aber hat mich vielfach der Gedanke beschäftigt, dass mein Vermögen, falls ich auf dem Felde der Ehre bleiben sollte, an Verwandte übergehen würde, welche reich und mir fast Fremde sind, während Sie, der die ganze Liebe meines Lebens zu eigen war, fortdauernd mit Sorgen und Beschränkungen zu kämpfen haben.« Er hielt inne, und fuhr dann wieder fort: »Ich habe daran gedacht, Ihnen testamentlich mein Vermögen zu vermachen, aber Sie werden dagegen dieselben Bedenken haben, wie gegen eine Heirat mit mir, und die Adoption Ihrer Julie wäre in Ihrem Sinne noch bedenklicher, obschon sie das einzige unversorgte von Ihren Kindern ist. Caroline hat eigenes Vermögen, für Antonie sorgt ihr Mann, und das Geschäft wird immer imstande sein, Ihrem Sohne eine Zukunft zu bereiten.«

»Oh«, unterbrach ihn meine Mutter, »sorgen Sie nicht, mein Freund, Julie ist von meinen Töchtern die Bedürfnisloseste und Einfachste. Aufgewachsen in der Zeit der Bedrängnis hat sie gelernt sich zu beschränken, und ganz mittellos wird auch sie nicht sein, wenn uns nicht besondere Unglücksfälle treffen. Sorgen Sie nicht um uns – aber kehren Sie uns wieder.«

Diese Zwischenrede störte Schlichting. Er besiegte aber die Verwirrung, die sie in ihm erregte, und mit einem Entschluss, der ihn, wie meine Mutter mir später erzählte, sichtlich Überwindung kostete, fragte er plötzlich: »Glauben Sie, dass Julie sich mit mir trauen lassen würde?«

»Schlichting!«, rief meine Mutter, auf das Äußerste betroffen. »Wie kommen Sie auf diesen Einfall?«

»Ich weiß es selber kaum«, entgegnete er. »Als das liebe Kind sich vorhin mit solcher Hingebung und Freude an mich wendete, schoss mir plötzlich der Gedanke durch den Kopf, wie ich Julien mit schneller Entscheidung eine Stellung in der Gesellschaft, Unabhängigkeit an Ihrer Seite und ein wohlbegründetes Vermögen geben könnte, wenn ich sie mir antrauen ließe.« Er brach ab, und die Mutter schwieg. Die Vorstellung, mich verheiratet zu sehen, die nur eben eingesegnet, die immer noch wie ein halbes Kind behandelt worden war, und vollends mich an Onkel, an den einst von ihr Geliebten verheiratet zu denken, war ihr so befremdlich, dass sie sich erst in dieselbe hineinfinden musste, um sie zu verstehen.

»Julie ist fast noch ein Kind!«, sagte sie endlich in halbem Selbstgespräch.

»Ja«, sprach der Onkel, »und ich bin ihr gegenüber mit meinen fünfzig Jahren fast ein Greis. Aber gerade darum darf ich's wagen. Morgen Mittag breche ich auf. Willigen Sie ein, so unterzeichne ich heute den Ehekontrakt, der sie zu meiner alleinigen Erbin einsetzt. Die Erlaubnis zu schneller Trauung bin ich zu erwirken sicher. Morgen früh lassen wir die Zeremonie vollziehen, und dass das Schicksal Ihrer Julie, des Kindes, das auf meinen Knien aufgewachsen, mir, wenn ich einst zurückkehre, teuer und heilig sein wird, das wissen Sie.«

Meine Mutter konnte sich immer noch nicht fassen. Sie hatte in ihrer Jugend das eigene Herz zu besiegen und zu bekämpfen gehabt, als sie in eine Ehe eingetreten war, die nicht ihre Wahl geschlossen. Sie dachte, was aus mir werden sollte, wenn ich einst, zum vollen Bewusstsein herangereift, vielleicht eine Liebe fühlte, welche meiner Pflicht entgegen war, und sie sprach das endlich aus.

Der Onkel nahm ihre Hand. »Kennen Sie mich nicht?«, fragte er. »Muss ich Ihnen sagen, dass Julie mir teuer bleiben wird, wie mein eigen Kind? Dass einst ihre Wahl neben mir so frei ist, wie ich sie meiner Tochter lassen würde? Muss ich Ihnen sagen, Josephine, dass ich in einem Augenblick wie diesem an kein Weib, an kein Eheglück für mich gedachte?«

Meine Mutter war erschüttert und entschlossen. Sie erhob sich, öffnete die Türe des Nebenzimmers und rief mich herein. Ihre Erregung, des Onkels ernste Ruhe fielen mir auf, mehr noch, dass beide schwiegen. Jeder erwartete vom andern, dass er sprechen würde, bis ich endlich mit einer mir unerklärlichen Befangenheit fragte, was die Mutter wünsche? Da trat der Onkel an mich heran, hob leise mit der Rechten, wie das seine Art war, meinen Kopf in die Höhe und fragte mit der unwiderstehlichen Milde seiner Stimme: »Julie, könntest du dich entschließen, mich zu heiraten?«

Ich dachte, es sei ein Scherz, und wollte lachen; aber ein Blick auf ihn und meine Mutter, deren Augen an mir hingen, zeigte mir, dass hier von einem Scherze nicht die Rede sei. Mein Herz fing zu klopfen an, dass es mir den Atem nahm. Der Gedanke, einen Mann zu heiraten, der morgen schon zum Heere gehen sollte, hatte bei der Begeisterung, in der wir alle uns befanden, etwas Bezauberndes, Überwältigendes für mich, und ich hatte den Onkel immer lieb gehabt, ich hatte niemand sonst geliebt, ein Kind wie ich es war. Alle diese Gedanken und Empfindungen zuckten, ich wusste selbst nicht wie, auf einmal durch meine Seele, und ohne mich lange zu besinnen, rief ich, wie von einer inneren Eingebung getrieben: »Ja, Onkel, herzlich gerne!«

Meine Mutter und Schlichting selber waren von meiner Freudigkeit betroffen. »Aber Julie«, sagte die Mutter, »der Onkel ist so viel älter, als du bist, er könnte dein Vater sein, mein Kind.«

»Ich liebe ihn auch, wie ich den Vater liebte«, antwortete ich.

»Du weißt es«, fuhr meine Mutter fort, »ich und der Onkel wünschten uns zu verbinden, als ich in deinem Alter war.«

»Ja«, rief ich, »darum hatte ich ihn stets so lieb, und darum, Onkel, liebst du mich ja auch.«

»Also, du willigst ein?«, fragte der Onkel. »Mein Alter schreckt dich nicht?«

»Wenn ich dir nur nicht zu gering bin«, sagte ich, indem ich ihm die Hand gab und mir die Tränen in die Augen kamen, denn ich fühlte mich der Ehre gar nicht wert, einem Krieger anzugehören, der wie der Onkel in das Feld zog.

»Nun denn, in Gottes Namen!«, rief der Onkel, indem er mich umarmte, und gegen meine Mutter gewendet sagte er: »Geben Sie Julien getrost Ihren Segen. Sie soll es nicht bereuen, dass sie mir vertraut.« Die Mutter legte mir ihre Hände auf das Haupt, der Onkel, sie und ich waren alle sehr bewegt, und keines von uns konnte sprechen. Als wir uns dann beruhigt hatten, verließ der Onkel uns, um die Schritte zur Trauung zu tun, von der niemand erfahren sollte, bis er der Traubewilligung gewiss war.

Die Mutter war nachdenklich und schweigsam, ich befand mich in einer wunderbaren Verfassung. Meine Gedanken hatten plötzlich eine neue und ganz unerwartete Richtung erhalten; ich kam mir gar nicht mehr wie dieselbe vor. Alles, was ich für die Zukunft in unbestimmten Wünschen und Träumen ersehnt, fiel in ein Nichts zusammen, ein Unerwartetes, Ungekanntes und doch Festbestimmtes stand mit einem Male vor mir. Mein Blick trug weiter als vorher, und doch fühlte ich, als wäre eine Schranke vor mir aufgestiegen. Ich malte mir aus, wie ich den Onkel begleiten, wie ich zittern würde, wenn er in die Schlacht ging, ich sah ihn wiederkehren aus derselben, sah ihn dann verwundet auf dem Krankenbette. Es war, als bewege sich ein Kaleidoskop vor meinem Auge. Die Bilder wechselten unaufhörlich, verschwammen ineinander, und ich konnte zuletzt keines mehr mir deutlich machen. Nur dass ich Braut sei und der Onkel mein Bräutigam, das stand als wunderbares Rätsel in mir fest.

Am Mittag kam der Onkel wieder. Es sei alles getan, sagte er, und als wir uns zu Tische setzten, erfuhren der Bruder und die Schwester, was geschehen. Ihr Erstaunen, ihre Fragen machten mir die größte Lust. Es kam mir vor, als erbleiche Caroline, und da ich oft von ihrer Härte, ihren Launen hatte leiden müssen, freute mich der Gedanke, dass sie vielleicht an meiner Stelle sein möchte. Daneben geriet das ganze Haus in Aufruhr. Die alte Kinderwärterin, welche die Mutter aus Dankbarkeit stets bei uns behalten, weinte vor Freude und küsste bald dem Onkel die Hand, bald umarmte sie mich. Sie und die Köchin dachten, nach Art dieser Leute, an eine Hochzeit mit ihren Herrlichkeiten, an ein Gastgebot und dessen Einnahmen für die Dienerschaft, und alle, die Dienstboten sowohl als die Geschwister und ich selbst, begriffen eigentlich kaum, dass morgen meine Trauung sein sollte.

Nach dem Essen kam ein Notar und mit ihm ein junger Mann, der seit wenigen Tagen im Ministerium unter Schlichting beschäftigt war. Er hieß Klemenz, war armer Leute Kind, sehr früh verwaist, und Schlichting hatte ihn erziehen lassen. Er schätzte seinen Kopf und liebte ihn wie einen Sohn. Trotz seiner Jugend hatte Schlichting ihm die Aufsicht über die Verwaltung seines Vermögens und seines Gutes übergeben, einmal, weil er ihm vertraute, und dann auch, weil er den Jüngling damit vom Eintritt in das Heer zurückzuhalten wünschte, denn derselbe hatte eine schwache Brust und war den Anstrengungen eines Feldzugs in keiner Art gewachsen. Ich hatte Klemenz nur erst bei einem flüchtigen Besuche kennengelernt, als in Gegenwart dieses jungen Mannes und meines Bruders, die uns als Zeugen dienten, unser Ehekontrakt vollzogen wurde. Schlichting entfernte sich dann nach dem Akte wieder, um den Rest des Abends noch seinen Angelegenheiten zu widmen.

Am andern Morgen, es war ein Sonnabend und schönes, klares Wetter, hatte alles einen sonderbaren Anstrich, wie mich dünkte. Es war Werkeltag, und es sollte nichts im Hause ein Fest verkünden, damit unsere Heirat und des Onkels Reise nicht zu früh verraten würden, denn man musste sich damals noch vorsichtig auf weitem Wege zu des Königs Fahnen begeben. Aber obschon anscheinend alles den gewohnten Gang ging, war es doch feierlich und still in unserer Nähe.

Man hatte frische Sträuße in die Zimmer gestellt, die Mutter selber bügelte das weiße Kleid, das ich ein paar Wochen früher zur Einsegnung getragen hatte. Dann flocht sie aus Myrten, die sie großgezogen, auch selbst für mich den Kranz. Ich sah ihr zu und träumte still vor mich hin. Die Aufregung des vorigen Tages hatte in mir nachgelassen und einem tiefen Sinnen Platz gemacht.

Um Mittag erschien der Onkel. Er trug seine Amtstracht, hatte seine Orden angelegt und kam mir fast wie ein Fremder vor. Gerade als es zwölf schlug, wurden wir getraut, und ich gelobte mir mit ernsten Schwüren, dem Onkel anzugehören in Leben und Tod, in Glück und Not, wie der Geistliche es sagte. Mit beiden Armen warf ich mich ihm an die Brust, und als er mich dort leise und linde festhielt, kam ich mir so geborgen vor, dass ich ihm die Hände dafür küsste.

Alle umarmten mich. Die Mutter weinte, wie ich sie niemals weinen gesehen, der Bruder, der Assessor Klemenz wünschten mir Glück, nur Caroline strich mir, da sie mich küsste, wie mitleidig die Wange und sagte leise: »Du armes, armes Kind!« Ich fuhr erschrocken zusammen, sie drückte mir still die Hand, und als ich sie ansah und ihre schwarzen

Augen so finster und trübe auf mir ruhten, fühlte ich eine Art von Furcht vor ihr.

Wir blieben nur eine kurze Zeit beisammen, ehe wir zu Mittag aßen. Schlichting war ganz unverändert, nur noch ruhiger und freundlicher zu mir, während ich mich ihm entfernter und doch näher fühlte als zuvor. Man trank an der kleinen Tafel auf unser Wohlsein, man sprach vom Kriege, vom Beginn des Kampfes, den man ersehnte, aber ich hörte von dem allem nichts mehr recht, denn seit ich am Morgen erfahren, dass Schlichting ohne mich Berlin verlassen würde, hatte sich eine große Niedergeschlagenheit meiner bemächtigt.

Ich spreche nicht vom Abschiede. Jeder, der damals lebte, wird den Schmerz und die Erhebung solches Scheidens nicht vergessen haben, und wer den Abschied von einem zu Felde Ziehenden nicht zu tragen hatte, dem gibt die Schilderung doch kein Bild weder von dem Schmerze, noch von jener begeisterungsvollen Zeit.

Als er fort war, als ich am andern Tage erwachte, kam mir alles wie ein Traum vor. Ich war verheiratet, mein Mann in den heiligen Krieg gegangen, ich führte einen andern Namen als bisher, Klemenz brachte mir im Auftrag meines Mannes eine namhafte Summe, die ich vierteljährig zur Bestreitung meiner Bedürfnisse erhalten sollte, und doch saß ich, wie immer, bei meiner Mutter an dem kleinen Nähtisch, doch war in meinen äußern Verhältnissen anscheinend nichts geändert. Meine Mutter bestimmte, was ich tun und lassen sollte, meine Mutter erklärte den Freunden, die nach der erfolgten Bekanntmachung meiner Heirat mit Schlichting mir Glück zu wünschen kamen, wie dies Ereignis sich gemacht, und ich stand oder saß verlegen dabei, ohne recht zu wissen, was ich dazu denken oder sagen sollte.

Erst als man von allen Seiten mein Geschick ein wunderbares nannte, als die Frauen mich fragten, wie ich es denn ertragen könnte, so plötzlich mich von meinem Manne getrennt zu finden, erst als meine bisherigen Freundinnen mich empfinden ließen, dass ich nicht mehr zu ihnen gehörte, fing ich an, mich selber in meinen Verhältnissen zurecht zu finden und es zu begreifen, dass ich eine Position und eine ganz besondere Position in der Gesellschaft eingenommen hatte. Es wurde mir eine neue Garderobe bestellt, ich bekam Toiletten, wie ich sie nie gehabt, wie sie aber den Verhältnissen und dem Vermögen meines Mannes angemessen waren, und ich wurde in die Gesellschaft, die ich bisher noch nicht besucht, als Neuvermählte, als Geheimrätin von Schlichting eingeführt.

Der Titel mag mir wunderlich genug gestanden haben. An Schlichting dachte ich oft, aber sein Bild wurde mir gleich unklar, als er uns verlassen hatte. Er war nicht mehr der Onkel für mich, und doch wusste ich ihm keine andere Gestalt zu geben. Alles, was mir an schönen Gaben gewährt wurde, kam mir von ihm, meine Mutter wies mich mit meinem Gewissen, mit meinem Tun auf ihn, ich musste ihm häufig schreiben, ihm Rechenschaft von allem geben, er antwortete mir immer gleich, war immer gütig in seinen Briefen, nannte mich wie früher stets sein Kind, und nur darin fand sich eine Änderung, dass er mir befahl, Lehrer für die deutsche und für fremde Sprachen anzunehmen und mich mehr mit ernster Lektüre, die er mir anwies, als mit Handarbeiten zu beschäftigen. Ich gehorchte ihm darin zu meinem Vorteil, indes mit jedem Tage der Trennung wurde er mir mehr zu einem mythischen Wesen. Ich sah ihn, wie den lieben Herrgott, als den unsichtbaren Schöpfer meines Wohlbefindens, als meinen unsichtbaren Herrn und Richter an, ich betete für ihn und zu ihm, aber der menschliche Zusammenhang zwischen uns trat dadurch immer noch mehr und mehr in mir zurück.

Umso schneller und leichter fand ich mich in meine gesellschaftliche Stellung. Ich hatte so gut wie die andern Frauen meinen Gatten nicht neben mir, auch sie waren allein, und wir alle hatten um das Geschick unserer fernen Männer zu sorgen und zu zagen, wenn nicht äußere glückliche Ereignisse uns von dem Gegenstande unserer Befürchtung ablenkten und unsere patriotische Gesinnung und Freude erregten.

Solche Ereignisse waren die Entfernung der Franzosen aus Berlin, der Einzug der Russen und vollends die Ankunft des Generals Yorck mit seinen Truppen. Es war in der Mitte des Märzmonats, und nach den Schrecken dieses eisigen Winters war die Rückkehr des Frühjahrs an sich schon ein Glück. Dass mit dem Frühjahr uns die Freiheit wiedergegeben würde, das berauschte alle Herzen, und die ganze Bevölkerung der Stadt war auf den Füßen, den Einmarsch der preußischen Truppen zu erleben.

Meine Mutter und wir hatten eine Einladung von Freunden erhalten, welche auf dem Schlossplatze wohnten, und obschon der Weg von unserem Hause am Ende der Brüderstraße bis zum Schlossplatze nur so klein war, so nahmen wir es bei dem Wogen der Menschenmassen, die sich gerade hier zusammendrängten, doch dankbar an, als Klemenz sich erbot, uns hinzubegleiten. Mein Bruder führte die Mutter und Caroline, Klemenz hatte mir den Arm gegeben, und da ich zu Hause etwas vergessen hatte und danach umkehren musste, kamen wir von den andern ab, sodass wir das Haus unserer Freunde nur gerade noch erreichten, als die Spitze des einziehenden Heeres schon die Schlossbrücke berührte, wo das am Fuße des Standbildes des Kurfürsten aufgestellte Musikcorps sie mit jubelndem Klange begrüßte.

Wir eilten die Treppe hinauf in den ersten Stock, in dem sich der Gesellschaftssaal befand, aber schon an der Türe rief der Herr des Hauses uns entgegen: »Hier sind alle Fenster besetzt, hier werden Sie nichts sehen. Führen Sie die Geheimrätin oben hinauf in die Stube meiner Töchter, lieber Klemenz.« Im Nu waren wir oben und am Fenster, denn die Fanfaren schmetterten ihre Freudentöne durch die Luft, dass mir die hellen Tränen aus den Augen stürzten. Gerade über uns auf dem Balkon des Schlosses standen die Prinzen und Prinzessinnen, den General und die Truppen zu begrüßen. Alle Tücher wurden ihnen zum Willkomm entgegengeweht, Ausrufe der Freude, der Hoffnung, Segenswünsche schallten ihnen entgegen, man fühlte sich erlöst und frei, nun man den Mann in seiner Nähe hatte, der zuerst die Fesseln der Knechtschaft gebrochen und von sich geworfen hatte. Man muss sein Vaterland verloren gegeben haben, wie meine Zeitgenossen, um zu verstehen, wie man um dasselbe leiden kann und was das freie Vaterland dem Herzen eines jeden ist.

Zu meiner Rechten und zu meiner Linken standen Damen, die ich nicht kannte. Ich wendete mich um, ein befreundetes Antlitz zu sehen, und erblickte mit Entsetzen die totenbleichen Züge, die tränenvollen Augen des Assesors. »Um Gottes willen, was fehlt Ihnen, was haben Sie?«, rief ich ängstlich.

»Nichts, nichts!«, sagte er, aber ich wusste, was ihm das Herz zerriss, ich wusste, wie seit Wochen der Gram ihn verzehrte, nicht mitstreiten zu können für die Sache, der er mit Leib und Seele hingegeben war. Ein tiefes Mitleid ergriff mich. Ich reichte ihm die Hand, er drückte sie mir still, aber die rechte Festesfreude war für mich zu Ende, seit ich Klemenz so unglücklich in meiner Nähe wusste. Ich hätte ihm meine Gesundheit geben, für ihn krank sein mögen, damit er nur fortgehen könnte, für das Vaterland zu fechten wie die andern, und in meiner Lebhaftigkeit sagte ich ihm das. Eine schnelle Röte flog über sein schönes, bleiches Gesicht, mit einer heftigen Bewegung fuhr er sich durch das blonde Haar und über die Augen, als wolle er mir ihren Ausdruck verbergen, und zu einem Lächeln sich zwingend sprach er:

»Denken Sie nicht an mich, Sie haben an Besseres, an einen Besseren zu denken, als an einen armen zurückgebliebenen Invaliden.« Indes, der gezwungene Scherz klang noch viel trauriger in seinem Munde als die Klage, und der Ausdruck seiner Augen kam mir nicht mehr aus dem Sinne.

Den ganzen Tag blieb man in einer Aufregung. Bis es dunkel wurde, gingen Männer und Frauen durch die Straßen, um sich an dem Anblick der Wachtposten zu erfreuen, die seit Jahresfrist zum ersten Male wieder von preußischen Truppen bezogen worden waren. Wo man einem preußischen Soldaten begegnete, begegnete man einem neuen Anlass zu gerührter Begeisterung. Man stritt sich um die Ehre, sie in seinem Hause zu bewirten, und wer zum Abend ein Bilett erhalten hatte, der Theatervorstellung beizuwohnen, in welcher General Yorck und seine Gefährten erscheinen sollten, der kam sich wie ein Auserwählter vor und war ein Gegenstand des Neides für hundert andere.

Klemenz hatte von seinem Chef für mich eine Einladung in seine Loge erhalten, und obschon meine Mutter mich in der Gesellschaft sonst nicht ohne ihren Schutz erscheinen ließ, machte sie diesmal zugunsten des ungewöhnlichen Ereignisses eine Ausnahme. Der Minister war ein Freund meines Mannes, und seine Gemahlin bewies mir eine wahrhaft mütterliche Güte. Auch diesmal, als ich in die Loge eintrat, nahm sie mich freundlich bei der Hand und nötigte mich, mich in der ersten Reihe niederzulassen. Ich wollte es ablehnen, sagte, ich könne ja stehen und über die Sitzenden fort noch alles betrachten, sie wies es aber zurück.

»Nein, nein!«, rief sie. »Wir müssen unsern Helden das Schönste bieten, was wir haben, und es werden nicht viele im Theater sein, die sich heut mit Ihnen messen können.« Damit ließ sie mich vortreten, und kaum hatte ich mich in meiner Verlegenheit niedergelassen, als ich hinter mir eine Stimme fragen hörte, wer ich sei.

»Die junge Geheimrätin von Schlichting«, sagte meine Beschützerin.

»Unmöglich!«, meinte der andere. »Ich glaubte, es wäre die Braut des Assessors.«

»Wie kamen Sie darauf?«

»Oh, weil das Paar so schön ist.«

Ich wagte nicht mich umzuwenden, ich wagte nicht rechts, nicht links zu sehen. Eine quälende Verwirrung hatte sich meiner bemächtigt, das Herz schlug mir, als hätte ich ein Verbrechen begangen. Ob Klemenz jene Worte vernommen, weiß ich nicht. Aber er näherte sich mir den ganzen Abend nicht ein einziges Mal. Als die Vorstellung beendet war und die Ministerin mich nach Hause fuhr, sagte er mir flüchtig Gute Nacht, und es vergingen einige Tage, ohne dass er bei uns erschien.

Umso mehr dachte ich an ihn, aber ich wusste nicht, dass er es war, dessen Abwesenheit mich beunruhigte, dessen Anwesenheit ich ersehnte. Weil der Lauf der Posten damals langsam und obenein nicht sicher war, hatte Schlichting seine Briefe an uns stets durch die Kuriere gesendet, die unaufhörlich zwischen Breslau und Berlin beschäftigt waren, und alle Nachrichten hatte ich durch Klemenz erhalten, der dieselben im Büro des Ministeriums für uns in Empfang zu nehmen und uns zu bringen pflegte. So konnte es denn geschehen, dass ich in dem Glauben, mit Ungeduld die Briefe meines Mannes zu erwarten, mich nur nach Klemenz sehnte, von dem ich sie erhielt, und dass meine Freude, ihn zu sehen, von meiner Mutter auf die Nachrichten von Schlichting bezogen wurde. Die Aufregung und die Zerstreuung, in welcher sich alle bewegten, waren ohnehin dazu geeignet, über die Empfindungen zu täuschen, die der einzelne in seinem Innern hegte; wenigstens waren ich und meine Mutter beide überzeugt, dass meine Anhänglichkeit für Schlichting durch die Entfernung gewachsen sei, und dass mir, wenn Gott ihm die Rückkehr vergönne, trotz der Verschiedenheit unseres Alters eine glückliche Ehe bevorstehe.

Je mehr meine Mutter dies wünschte, je eifriger und zuversichtlicher sie mir davon sprach, umso fester glaubte ich es selbst, und da ich, sooft von meinem wunderbaren und glücklichen Lose die Rede war, an Caroline denken musste, die es offenbar als eine Kränkung ansah, neben mir als alterndes Mädchen dazustehen, so lag der Wunsch, auch sie verheiratet zu wissen, für mich nur zu nahe. Sie war weniger hart und heftig als in früherer Zeit, aber traurig und gedrückt, und wenn ich daneben den armen Klemenz auch so niedergeschlagen fand, so kam mir oftmals der Einfall, wie diese beiden einander vielleicht ein Trost und wohl gar ein glückliches Paar werden könnten, vorausgesetzt, dass sie einander näherträten, als bis jetzt geschehen war.

Klemenz war allerdings unbemittelt, aber Schlichting hatte ihm eine Karriere eröffnet, er bezog schon ein nicht unbedeutendes Gehalt, und Caroline hatte Vermögen. Es schien mir also, als ob beiden Teilen nichts Erwünschteres als ihre Verheiratung begegnen könne. Ich erging mich in Vorstellungen, wie die Güte und Sanftmut von Klemenz Carolinens Herz immer weicher und milder, wie ihre Pflege ihn, den Pflegebedürftigen, gesünder machen würde, wie wir sie und die Mutter einst als Gäste auf unserem Gute bewirten und wie alle Teile, besonders aber auch Klemenz, es mir danken würden, dass ich ihm in meiner Familie auch eine Familie und eine Heimat bereitet hätte. Man denkt es sich mit sechzehn Jahren so gar leicht, die Menschen glücklich zu machen, und ich vollends, der eine schöne Zukunft so unerwartet bereitet worden war, hatte das natürliche Empfinden, andern zu vergelten, was ich selbst empfangen.

Klemenz, den mein Mann immer als seinen Pflegesohn betrachtete, kam mir selber dadurch wie ein Verwandter und wie ein Schützling vor, und ich konnte es mir in den schönsten Farben ausmalen, wie Schlichting es mir danken würde, wenn ich ihm bei seiner Rückkehr einst den Pflegesohn als seinen Schwager vorführte. Ich gelobte mir, niemand solle von meinem Plane etwas erfahren, ich wollte ihn allein zu Ende führen, und Caroline, die mich in guten Stunden manchmal scherzend ihre Tante hieß, weil ich des Onkels Frau geworden war, sollte mich noch halbwege als ihre Schwiegermutter anzusehen haben. Ich hatte bei allen diesen Plänen eine wahrhaft kindische Freude und ein Gefühl der Wichtigkeit und Unabhängigkeit, die mich heute noch lächeln und auch wieder nachdenklich machen, wenn ich daraus ersehe, wie arglistig wir uns selbst zu täuschen wissen.

Es schien mir für meinen Zweck das Wichtigste, dass Klemenz Vertrauen zu mir fasste, aber es war mir aufgefallen, dass er stets nur von meinem Manne, nie von sich selber mit mir sprach. Ich nahm mir vor, durch Beweise der Teilnahme seine Verschlossenheit zu besiegen, indessen dazu musste ich ihn eben öfter sehen, und gerade dies zu bewerkstelligen, war für mich nicht leicht, als die äußeren Verhältnisse mir unerwartet hilfreich wurden.

Gerade in jenen Tagen hatten sich unter dem Protektorate der Prinzessinnen die Frauenvereine für patriotische Zwecke gebildet, und meine gütige Beschützerin, die Frau des Ministers, war eine der tätigsten Teilnehmerinnen derselben. Da sie aber schon betagt war und der Andrang von freiwilligen Gaben so ungeheuer groß, hatte sie mich aufgefordert, mit einer ihrer Verwandten bei ihr die Gaben zu empfangen und zu registrieren, und Klemenz und ein anderer junger Hilfsarbeiter aus dem Ministerium hatten sich erboten, die weitläufige Korrespondenz zu besorgen, welche durch die vielen Anfragen und durch die Ablieferungen nötig wurde.

Klemenz war unter den Ersten gewesen, die zugunsten des Vaterlandes auf die Hälfte ihres Gehalts verzichtet, und seit er sich für die heilige Sache Entbehrungen aufzulegen hatte, war er ruhiger und zufriedener geworden. So weit seine Amtsarbeit ihn frei ließ, war er von früh bis spät im Büro der Ministerin beschäftigt, denn es hatte sich ein solches aus der Notwendigkeit erzeugt, und die Säle, in denen sich sonst die leichtlebende Gesellschaft bewegte, sahen jetzt fast wie Warenlager aus.

Zu entbehren, Opfer zu bringen, galt allen als das höchste Glück; Schmuck zu tragen wurde von uns beinahe als eine Schande angesehen. Nachdem ich mit heiliger Freude fast das ganze mir von meinem Manne ausgesetzte Geld dem Vereine übergeben, ließ es mir keine Ruhe, bis ich auch die geringen Wertsachen, die ich besaß, auf den Altar des Vaterlandes niedergelegt hatte. Es waren einige Paar Ohrgehänge, eine schwere goldene Kette, das Taufgeschenk der Großmutter, und ein kleiner Ring mit blauem Vergissmeinnicht, den die Mutter mir am Tage meiner Einsegnung gegeben. Den Trauring zu opfern, wie so viele taten, und einen eisernen Ring vom Vaterlande dafür anzunehmen, hielt eine unbestimmte Scheu mich ab. Klemenz und sein Gefährte verzeichneten, was von Wertsachen abgeliefert wurde, und beförderten es in die Münze, die es einschmolz; ihm hatte ich also auch meine kleinen Schmucksachen eingehändigt und hatte eine große Freude, als ich erfuhr, dass die Kette allein vierzig Taler wert gewesen.

Da eine Masse Leinwand einging, beschloss man, sie im Hause der Ministerin zu Wäsche und Verbänden zu verschneiden und sie den Damen zuzuteilen, welche sich erboten hatten, sie zu nähen, und da alles dies in höchster Eile betrieben werden musste, so entstand eine fabrikmäßige Tätigkeit daraus. Caroline, deren praktisches Geschick und Schnelligkeit in dieser allgemeinen Aufregung eine wahre Befriedigung fanden, maß im Salon die Leinwand und schnitt so lange und so eifrig zu, bis ihr die Hände fast erlahmten. Aber sie war dabei viel heiterer, als wir alle sie je gesehen, sie schien ihre unglückliche Liebe mehr und mehr zu vergessen, und ihr trauriger Hass gegen die Franzosen läuterte sich und erlosch in der Liebe für das Vaterland, von der sie sich überall umgeben fand.

Da sie nun ebenfalls täglich mit Klemenz beisammen war, lernte auch sie ihn schätzen, und war er müde oder angegriffen, so nahm sie, die eine perfekte Rechnerin war und wirklich das kaufmännische Talent der Düvals geerbt zu haben schien, ihm einen Teil seiner mühsamsten Arbeit ab. Sie hatten also immer miteinander zu tun, und es war erreicht, was ich einzuleiten gewünscht hatte; indessen kam es mir vor, als gehe Caroline zu weit in ihrer Bereitwilligkeit zu helfen, als sei sie koketter und freier gegen Klemenz, als es einer deutschen Frau gezieme. Ich hätte ihr das sagen mögen, aber sie war zehn Jahre älter als ich, und obschon ich verheiratet war, hatte ich im Innern eigentlich noch Furcht vor ihrer Strenge, während ein mir unerklärliches Gefühl mich abhielt, meine Mutter auch nur zu fragen, was sie von Carolinens wiederkehrender Heiterkeit halte.

So waren ein paar Monate vergangen, der Krieg hatte begonnen, die ersten Schlachten waren geschlagen, und wenige Tage vor meinem siebzehnten Geburtstag traf die Nachricht von der Niederlage bei Lützen ein. Die ganze Stadt war in der tödlichsten Sorge, von Stunde zu Stunde harrten die Einzelnen auf Nachricht von den Ihrigen, Tag und Nacht fuhr man empor, so wie sich etwas auf den Treppen regte, denn immer meinte man, es könne ein Kurier angelangt, es könne eine Nachricht gekommen sein.

Ich hatte das Glück der Liebe noch nicht gekannt, als ich die Angst der sorgenden Liebe kennenlernte. Es war nach Mitternacht, und wir hatten uns seit einer Stunde niedergelegt, als wir die Glocke unserer Wohnung läuten hörten. Meine Mutter, Caroline und ich sprangen empor und warfen uns in die Kleider, denn das Mädchen meldete, Klemenz sei da und fordere uns zu sprechen. Dass er selber kam, dass er uns keinen Brief sendete, ließ uns das Schlimmste fürchten, und von Angst gefoltert trat ich in das Zimmer.

»Lebt Schlichting?«, riefen wir alle wie aus einem Munde.

»Ja, gottlob, er lebt!«, antwortete Klemenz.

»Ach, sprechen Sie, sprechen Sie, sagen Sie alles!«, bat ich flehend. »Er ist schwer verwundet, er liegt hoffnungslos darnieder.«

Klemenz zauderte, endlich sagte er: »Verwundet ist er allerdings.«

Ich schrie auf im Schreck, meine Mutter wendete sich leidensgewohnt still von uns ab, Klemenz war sehr ergriffen. Die Vorstellung, dass Schlichting, dass mein Mann, dass der Onkel, denn unter diesem Namen liebte ich ihn immer noch am meisten, krank, verwundet, schmerzgefoltert, fern von uns im Lazarette liege, sträubte mir das Haar auf dem Haupte, und ohne mich zu besinnen, rief ich: »Ich muss fort, gleich fort! Helft mir, dass ich zu ihm kann!«, und ich weinte bitterlich.

Da zog Klemenz einen Brief hervor, den ein Waffengefährte Schlichtings geschrieben hatte. Es hieß darin: »Auch Schlichting ist verwundet. Die rechte Schulter ist ihm über dem Arm durchschossen, und er fiebert heftig. Doch ist er vollkommen klar und keine Gefahr für ihn vorhanden. Er ersucht Sie, diese Nachricht seiner jungen Frau zu bringen, sie aber in seinem Namen ausdrücklich zu bitten, dass sie sich keiner unnötigen Besorgnis überlassen und unter dem Schutze ihrer trefflichen Mutter ruhig die weiteren Nachrichten abwarten solle, die sie baldmöglichst erhalten wird.«

Ich verstummte vor dem Befehle. Klemenz gab uns alle Auskunft, die er noch erhalten hatte, dann entfernte er sich, und wir blieben allein, ohne dass wir miteinander sprachen, meine Mutter und ich. Nur Caroline konnte denken, fragen, Pläne, Vorschläge machen. Wir andern waren wie benommen.

»Wärst du nicht solch ein Kind«, sagte Caroline endlich, »könntest du allein reisen, ich riete dir dennoch zu gehen. Mich an deiner Stelle, mich sollte kein Befehl und keine Macht der Erde fernhalten von dem Krankenlager meines Mannes. Aber du freilich, du kannst nicht gehen – und im Grunde, was solltest du auch dort, so unerfahren wie du armes Kind es bist?«

Ich bin überzeugt, es lag ihren Worten nur der ehrliche Ausdruck ihrer Stimmung zugrunde, aber hätte sie die Absicht gehabt, mich noch tiefer in Mutlosigkeit und Trauer zu versenken, sie hätte es nicht anders machen können. In jenen Tagen, in denen alles zu helfen, zu nützen bemüht war, als ein Wesen bezeichnet zu werden, das dem eigenen Manne, dem Wohltäter nichts zu leisten, nichts zu sein vermochte, das schien mir das Schwerste, das mich treffen konnte.

Tag und Nacht fand ich keine Ruhe, keinen Schlaf. Wenn ich müde bis zur Erschöpfung nachts im Bette lag und vor meinen wachen Augen die entsetzlichsten Bilder wechselten, so sah ich wohl zum Lager meiner Mutter hinüber, und auch sie war wach und hatte die Hände still gefaltet im Gebete. Ich gab kein Zeichen, dass ich sie beobachtete, aber in meinem Innern rief es: »Warum hat die Mutter ihn nicht geheiratet, die er zu sich fordern, die zu ihm eilen und ihn pflegen würde!« Ich sah es, wie sehr sie um ihn sorgte, obschon sie mir stets Mut zusprach. Ich konnte den Gedanken nicht loswerden, dass ich Unrecht getan, die Hand des Onkels anzunehmen, dass ich ihn nicht verdiene, nie verdienen könne, und dass er mit meiner Mutter, ja selbst mit meiner Schwester besser daran gewesen wäre, als mit mir. Das entwurzelte mich aus dem Boden der Sicherheit, auf dem ich mich bisher bewegt hatte, und meine Gesundheit wurde davon angegriffen. Ich verlor alle Farbe, wurde mager, und des Kummers nicht gewohnt, kam er mir unerträglich vor.

Alles, was ich bisher im heitern Lichte der Sorglosigkeit betrachtet, erschien mir jetzt in düsterer Farbe. Ich machte es im Innern meiner Mutter zu einem Vorwurf, dass sie sich dieser Heirat, in der ich das Unglück unseres treuesten Freundes werden musste, nicht entschieden widersetzt hatte, ich war gegen Caroline erzürnt, die mich davor gewarnt, als es zu spät gewesen war, ich verargte es meinem Manne, dass er mich wie ein überflüssig Spielzeug zurückgelassen hatte, als er seinen ernsten Weg gegangen war, und neben dem allen und über dem allen quälte und ängstigte mich noch eine Unruhe, eine Rastlosigkeit und Beklommenheit, die ich nicht zu bannen, mir nicht zu erklären vermochte.

War ich zu Hause, so wollte ich in den Verein und an die Arbeit, hatte ich mich mit Caroline dorthin begeben, so fühlte ich mich noch mehr gepeinigt. Man behandelte mich mit jener herablassenden

Nachgiebigkeit, die man kranken Kindern angedeihen lässt; das machte für mein Gefühl meine Lage nur noch schlimmer. Die Ministerin meinte, man müsse meine Reizbarkeit auf meine eigentümliche Lage schieben, Klemenz stimmte ihr darin bei, nur Caroline behauptete, ich wisse nicht, was ich wolle, denn wenn mich Schlichting zu sich rufen sollte, würde ich dadurch nicht beruhigt und nicht hergestellt werden.

Sie verwies es Klemenz in meiner Gegenwart, dass er mich viel zu sehr beachte, ich sah, wie sie ihn abzuziehen, ihn zu unterhalten, zu beschäftigen strebte, wenn er sich mir nahte. Einmal hörte ich, wie er ihr auseinandersetzte, dass man nicht vergessen dürfe, welch ein Unglück es sei, so jung schon um den Verlust seines Gatten zu sorgen, und wie sie ihm mit Seufzen antwortete: »Ein Unglück nennen Sie das? Ein Unglück ist es, niemand zu haben, der uns liebt, niemand, für den man sorgt und leidet. Julie hat ein beneidenswertes Los! Und Schlichting wird genesen, Julie hat mit allem Glück.«

Ich konnte nicht verstehen, was er ihr darauf erwiderte, aber ich sah den forschenden Blick der Teilnahme, den er auf sie richtete, ich sah, dass sie ihm die Hand gab, dass er sie ihr küsste, und eilte davon. Es fuhr mir wie ein Schnitt durchs Herz: Sie liebten sich! Sie liebten sich! Das hatte ich ja gewollt. Und in bittere Tränen ausbrechend rief ich: »Ja, ich habe Glück in allem!«

Am folgenden Tage war mein siebzehnter Geburtstag. Mutter und Geschwister, Freunde und Bekannte hatten meiner liebevoll fürsorgend gedacht, aber niemand schien freudigen Dank von mir zu erwarten, denn noch fehlten die weiteren Nachrichten von Schlichting. Von Stunde zu Stunde erwartete ich Klemenz. Eine Art von Aberglauben ließ mich hoffen, heute werde ich Botschaft erhalten, gute Botschaft, und Klemenz werde sie mir bringen.

Ich hatte kaum die Ruhe, meinen Besuchen die nötige Rede und Antwort zu geben. Ich ging vom Sofa zum Fenster, vom Fenster zur Türe und wieder zurück. Niemand tadelte meine Ungeduld, jeder fand sie natürlich. Nur Caroline lächelte darüber, und als ich wieder einmal an das Fenster trat, an dem sie saß, sagte sie leise: »Klemenz wird vergessen haben, dass dein Geburtstag ist.« Alles Blut schoss mir in das Gesicht, ich wusste nicht, wie mir geschah, aber in dem Augenblicke sah ich Klemenz von der andern Seite der Straße unserer

Wohnung zuschreiten und eilte hinaus, die Treppe hinunter, ihm entgegen.

Auf der Hälfte der untern Treppe erreichte ich ihn. Er sah mich kommen, griff in die Brusttasche und rief: »Ich bringe einen Brief und von ihm selbst.« Damit zog er den Brief heraus, aber weil er auch ein Bouquet in der Hand hielt und ich so heftig nach dem Briefe langte, stießen wir gegeneinander, der Brief sank zur Erde, und als ich und Klemenz sich gleichzeitig bückten, ihn aufzuheben, fiel aus seiner Brust ein Ring hervor, den eine goldene Kette festhielt. Er verbarg ihn mit Blitzesschnelle, aber ich hatte es gesehen, es war mein Ring, es war meine Kette.

Klemenz konnte keine Silbe sprechen. Er war blass wie der Tod, als er in das Zimmer trat, und wie ich hinaufgekommen, weiß ich selbst nicht mehr. Ich hielt das Rosenbouquet und den Brief in meinen Händen, ich lachte und weinte durcheinander, ich fiel meiner Mutter, meiner Schwester, den anwesenden Damen um den Hals, drückte mein Gesicht in die Rosen – aber den Brief zu öffnen, hatte ich vergessen.

Meine Mutter tat es an meiner Stelle. Schlichting hatte selbst geschrieben. Es waren nur wenig Zeilen, aber sie trugen das ganze Gepräge seiner Güte. Auf dem Wege völliger Genesung bat er uns, nicht um ihn zu sorgen, und sogar meines Geburtstages hatte er in seiner Krankheit doch gedacht und mir Glück dazu gewünscht. Er hoffte bald hergestellt zu sein und in nicht zu langer Zeit seinem Regiments, das weiter vorgerückt war, nachfolgen zu können. Alle waren gerührt. Man nannte es einen schönen Zufall, dass der Brief gerade an dem Tage eingetroffen war, man pries mich glücklich.

Und Gott weiß es, ob ich glücklich war! Wie mit einem Zauberschlage war ich umgewandelt, ich war voll einer stillen, ungekannten Seligkeit. Jedes Wort, das man zu mir sprach, presste mir Freudentränen aus, aber ich konnte nicht reden, sondern träumte nur still vor mich hin, dass ich es kaum bemerkte, als Klemenz sich empfahl und fortging.

Mir war er anwesend, denn ich dachte nur an ihn. Was hatte ich denn noch an meinen Mann zu denken, wenn er gesund war. Es stand ja alles fest zwischen uns, ich wusste alles – aber Klemenz! Er hatte die Kette und den Ring gekauft, ich selber hatte die Bezahlung in den

Registern vermerkt gefunden, und seine Mittel reichten jetzt kaum hin für das, was er notwendig brauchte! Wie teuer mussten diese Sachen ihm gewesen sein, ihm, der alles Entbehrliche dem Vaterlande opferte. Sie waren ihm also unentbehrlich gewesen, er hatte sie haben, sie besitzen müssen – o er war mir selber unentbehrlich!

Ich empfand das mit Entzücken, ich sagte mir es hundert und tausend Mal, dass ich ihn liebte, dass er mich liebte, – aber ich fragte mich nicht, was daraus werden solle, werden könne. Ich war versenkt in einen Wonnerausch, und den Abend und die Nacht, welche ich in dem Gedanken an diese erste Liebe hingebracht, nenne ich unbedenklich auch noch heute, wo ich aus weiter, stiller Ferne zurückschaue auf jene Zeit, die glücklichsten Stunden meines ganzen Lebens.

Am andern Morgen, als die Mutter mich fragte, wann ich Schlichting schreiben würde, erschrak ich über diese Vorstellung. Ich hätte es aufschieben mögen, aber wie sollte ich diese Verzögerung erklären?

Ich nahm Papier und Feder, indes es kam mir kein Gedanke. Zwei, drei Mal schrieb ich: »Lieber Onkel!« – und immer besann ich mich dann wieder, dass der Onkel ja mein Mann sei, dass ich ihn »Lieber Schlichting!« genannt habe seit unserer Trauung und dass ich ihn auch jetzt also nennen müsse. Ich saß und saß. Je länger ich nachsann, was ich ihm sagen solle, desto fremder kam er mir vor. Dem Onkel, den ich liebte, hätte ich alles gestehen mögen, ja es wäre mir eine Wollust gewesen, dies Geständnis vor dem gütigen, treuen Freunde; aber meinem Manne davon zu sprechen – die Feder fiel mir aus der Hand, alle meine goldene Freude versank in dem Bewusstsein meiner Schuld. Wie ein Gespenst erhob sich vor mir der Gedanke, dass ich dem Onkel Treue gelobt, dass ich ihm, meinem Manne, untreu sei, dass ich einen andern liebe, und dass dies Klemenz sei, der Pflegesohn meines Mannes, der ihm alles, alles dankte.

Niedergeschmettert von dieser Vorstellung hätte ich mich meiner Mutter in die Arme werfen, sie um Schutz, um Hilfe anflehen mögen, aber ich kam mir so elend, so gottverlassen vor, dass ich mich scheute, meine Verzweiflung auf die Seele meiner Mutter zu übertragen, und obenein kannte ich ihre Ansicht, dass man mit seinen Irrtümern am besten schweigend fertig werde. Oftmals hatte sie es im Gespräche hingeworfen, dass die glückliche Zukunft jeder Ehe auf dem schweigenden Ertragen der Gatten gegründet sei, und dass der treueste, liebevollste Vertraute ein Feind des ehelichen Friedens werden könne. Ich wollte also schweigen, aber es drückte mir fast das Herz ab.

Man muss es wissen, mit welcher heiligen Verehrung damals jeder auf die Männer blickte, die im Felde standen, man muss die Frömmigkeit gekannt haben, mit welcher in unserem Kreise Männer und Frauen nach sittlicher Erhebung, nach untadeliger Reinheit strebten, um die Größe meines Schmerzes annähernd zu begreifen. Während er auf dem Felde der Ehre sein Blut verströmte für die deutsche Erde, für den deutschen Herd und die Aufrechterhaltung deutscher Zucht und Sitte in der Freiheit des Vaterlandes, sprach ich in meinem Herzen dieser Zucht und Sitte Hohn. Während er krank an seinen ehrenvollen Wunden dalag, hatte ich, der er daheim seinen Namen anvertraut, mich eingewiegt in einen Selbstbetrug, zu dem meine strafbare Liebe mich verleitet.

In wenigen Minuten entwickelten sich diese Ideen furchtbar klar in mir, wenige Minuten reiften das unerfahrene Mädchen plötzlich zum Weibe, und mit dieser Reife kam die Kraft der gewaltigsten Leidenschaft über mich. Das Bewusstsein meiner Schuld war der Dämon, welcher meine sanfte, stille Liebe zu maßloser Heftigkeit entzündete. Ich schrieb schnell an Schlichting. Ich erinnere mich kaum, was ich ihm gesagt habe. Es waren Worte, von denen meine Seele gar nichts wusste. Ich sah, ich empfand nichts als meine Leidenschaft, meine Schuld und das Bedürfnis, mich von ihnen zu befreien. Ich musste Klemenz sprechen, ihm klarmachen, auf welchem Pfade wir uns befänden, und dann ihn niemals, niemals wiedersehen. Das stand fest in mir, aber ich weinte blutige Tränen schon bei dem bloßen Gedanken daran.

Der Minister besaß ein Haus am Ende des Tiergartens und war vor einigen Tagen nach dieser Sommerwohnung gezogen. Seine Frau hatte mich eingeladen, dort hinaus zu kommen, und am Nachmittag jenes Tages machte ich mich auf den Weg in der Erwartung, Klemenz dort zu sehen. Und diese Erwartung trog mich nicht.

Als ich in dem Landhause ankam, fand ich meine Beschützerin nicht zu Hause. Sie war zu dem Frauenkomitee gefahren, der Diener hatte aber die Weisung erhalten, mich zum Bleiben aufzufordern. Er öffnete mir das Gartenkabinett und überließ mich mir selber, der gefährlichsten Gesellschaft, die ich haben konnte.

Das Herz hat seine unwiderleglichen Ahnungen. Kaum hatte ich das Zimmer betreten, als es mir zur unumstößlichen Gewissheit wurde, dass ich Klemenz hier, gerade in diesem Raume sehen würde, und es war mir, als hätte ich schon einmal hier gesessen, als hätte ich hier einmal irgendetwas erlebt. Bald sann ich darüber, was das denn gewesen, bald fragte ich mich, ob ich vielleicht von diesem Zimmer einst geträumt; aber das war unmöglich, denn ich hatte es nie zuvor betreten, und doch kannte ich alles in demselben auf das Genaueste.

Tiefe Tapeten, zwischen deren grünem Weinlaub Liebesgötterchen hervorsahen, diese niedrigen Möbel von schwarzem Ebenholz mit Bronze verziert, diese Polster von grünem Gros de Tour und die Kupferstiche, welche Szenen aus dem englischen Landleben darstellten, dies alles hatte ich schon gesehen. Vor dem großen Blumenkorbe in der Mitte des Zimmers, in welchem die damals noch seltenen Hortensien blühten, hatte ich schon gestanden, grade so war das Licht durch die Türe gefallen und hatte die Blumen purpurn erglänzen lassen, als –

»Was geschah nur damals? Und wann war es?«, fragte ich mich immer und immer wieder, nahm immer und immer wieder eine der Hortensien in die Hand, als müsse sich daran das Weitere anreihen, wie man nicht müde wird, die Verse eines Gedichtes zu wiederholen, dessen Fortsetzung man vergessen hat. Aber ich stand und stand, bis ich förmlich mir selbst mit meinen Gedanken entrückt war und träumend hinausschaute auf den grünen Rasen, der sich hinter dem Hause ausbreitete.

»Störe ich Sie?«, fragte plötzlich eine Stimme neben mir. Ich fuhr empor, es war Klemenz, aber ich konnte ihn nicht sehen, denn ich war geblendet von dem langen starren Schauen in das Licht, goldene Kreise und Funken schwammen vor meinen Augen, dass mir eigentlich war, als träume ich noch immer, als sei auch die Stimme, welche ich vernommen, nur ein Erzeugnis meiner Fantasie. Der Kopf schwindelte mir, ich musste mich an dem Blumenbehälter stützen.

»Ich fürchte, ich störe Sie, gnädige Frau«, wiederholte Klemenz, und er mochte wohl betroffen sein durch den Zustand von Verwirrung, in dem ich mich befand. Doch ich raffte mich zusammen.

»Nein, ich erwartete Sie«, gab ich ihm zur Antwort. Er sah mich erstaunt an.

»Sie erwarteten mich?«, fragte er.

»Ja, ja, fragen Sie mich nichts, ich wusste, ich fühlte es, dass Sie kommen würden, kommen müssten!«, sagte ich mit einer Schnelligkeit, die ihm wieder meine Aufregung verraten musste. »Ich musste mit Ihnen sprechen.«

»Gnädige Frau!«, rief Klemenz – aber ich ließ ihn nicht zu Worte kommen.

»Sprechen Sie nichts, sagen Sie mir nichts, ich weiß es, Klemenz, so kann es zwischen uns nicht bleiben!«

Wie ich die Worte hervorgebracht, ich begreife es nicht. Ich hätte sie mit meinem Leben zurückerkaufen mögen, denn kaum dass ich sie gesprochen, fühlte ich, was ich damit getan, indes es war zu spät, und wie fortgerissen von einer unwiderstehlichen Macht fuhr ich fort: »Klemenz, Sie haben meine Kette, meinen Ring nicht abgeliefert, ich sah sie gestern an Ihnen. Ich weiß es! O ich weiß es! – Bei allem, was Ihnen heilig ist, geben Sie mir die Sachen wieder, Sie dürfen sie nicht behalten, so gern – so gern ich sie Ihnen ließe. Schlichting ist mein Mann, er ist Ihr Wohltäter – es muss anders werden, es darf so nicht bleiben – ich sehe Sie nicht wieder, niemals, und müsste ich daran vergehen.«

Ich konnte Klemenz nicht ansehen, während ich zu ihm sprach, ich weiß nicht, was er empfunden haben mag, bei dem verwirrten Geständnis, das meine Leidenschaft mir entriss, und dessen letzte Worte meine atemlose Angst verschlang. Ich wendete mich von ihm, denn mir fehlte die Kraft, diesen Zustand länger zu ertragen. Ich wollte das Zimmer verlassen, ich hatte ja alles gesagt, alles getan, das entscheidende Wort gesprochen, – aber in demselben Augenblicke fühlte ich meine Knie von seinen Armen umschlungen, er lag zu meinen Füßen und bedeckte mein Gewand mit seinen Küssen. »Lassen Sie mich!«, rief ich und versuchte mich loszureißen, aber er hielt mich nur umso fester.

»Nein, nein«, sagte er, »ich will ihn festhalten, diesen Augenblick, der mir nicht wiederkehren kann. Sie müssen mich hören, einmal, ein einziges Mal muss ich es dir sagen, wie ich dich geliebt, von der Stunde an, da ich dich zuerst gesehen, wie alle meine Gedanken nur auf dich gerichtet sind, wie ich nicht von dir lassen kann, solange ich lebe, und wie ich es als einziges und letztes Glück erflehe, zu sterben, bald zu sterben mit deinem Namen auf den Lippen.«

»Gott, Gott!«, flehte ich in meiner Herzensangst. »Was soll ich tun? Stehen Sie auf, Klemenz, ich beschwöre Sie, stehen Sie auf!« Ich neigte mich, ihn emporzurichten, da sprang er auf, zog mich an seine Brust, und hingerissen von dem eigenen Herzen hing ich an seinem Halse, fühlte ich seine heißen Küsse auf meinen Lippen.

Aber der Taumel der Leidenschaft währte nur einen kurzen Augenblick; seine Arme ließen mich los, ich empfand die brennende Reue, welche er fühlte, ich trug die Schuld von allem, denn meine Unbesonnenheit hatte ihm das Geständnis entlockt, den ganzen Vorgang herbeigeführt. Wie gelähmt standen wir einander gegenüber. Ich befand mich wieder vor dem Blumenkorbe, noch schien die Sonne so purpurn auf die rötlichen Hortensien, noch funkelte der Glanz draußen auf dem Rasen, aber ich sah das alles durch den Farbenschimmer meiner Tränen, und jetzt wusste ich, was ich an dieser Stelle erlebt, und dass ich dieses Zimmer nicht vergessen würde.

Eine ganze Weile mochte dieser Zustand gedauert haben. Es war still in uns, wie nach dem Toben eines heftigen Sturmes. Endlich atmete Klemenz tief auf, nahm die Kette und den Ring von seinem Hals und reichte sie mir wortlos hin. Dann ging er fort. Unter der Türe wendete er sich noch einmal um und sah mich lange an. »Leben Sie wohl, für immer!«, sagte er leise – und ich war allein – und wie allein! – mit meinem Schmerze, mit meinem Schuldbewusstsein und mit meinen siebzehn Jahren.

Die Ankunft der Ministerin zu erwarten, schien mir unmöglich. Ich sagte, es werde mir zu spät, und ging nach Hause. Als ich in unserer Wohnung anlangte, fand ich die Mutter und Caroline, die einen Besuch gemacht hatten, ebenfalls zurückgekehrt. Sie nähten Hemden für das Heer, und ich konnte nichts tun, als mich mit gleicher Arbeit ihnen gegenüber niedersetzen. Sie fragten mich, ob die Ministerin zu Hause gewesen sei, sie wollten wissen, ob das Landhaus schön eingerichtet, ich antwortete auf das alles, so gut ich konnte, und ich nähte auch so schnell und so gut ich konnte.

Aber wie schwer mir damals die Beschränkung der Frauen, wie martervoll mir ihr enges Leben in der Häuslichkeit erschienen ist, das habe ich noch heute nicht vergessen. Die Stube kam mir wie ein Gefängnis vor, die Häuser drüben, die schon grau im Schatten lagen, wie Steingebirge. Ich hätte, ich weiß nicht was, darum gegeben, hinauslaufen zu können in das Freie, immer der sinkenden Sonne nach ohne Plan, ohne Ziel, nur vorwärts, nur fort, nur laufen, bis in die tiefe, tiefe Nacht, bis in die weite, weite Ferne! – Und ich wagte nicht, das Zimmer zu verlassen, aus Furcht vor der Frage, wohin ich gehe, weshalb ich nicht bei den andern bleibe? Die bürgerliche Erziehung birgt neben ihren Vorzügen ein Element der Sklaverei in sich, von der jede Frau zu leiden hat.

Nach diesem Abende gingen zwei Tage für mich ohne inneres Merkmal hin. Unter dem Vorwand der Krankheit blieb ich aus dem Hause des Ministers fort, und ich war wirklich nichts weniger als gesund. Caroline, die täglich hinging, und die ich fragte, wen sie dort gesehen habe und was dort vorgefallen sei, berichtete alles, nannte aber Klemenz nicht, und nach ihm zu fragen, fehlte mir der Mut.

Endlich am dritten Abende kam sie früher als gewöhnlich heim und trat mit dem Ausrufe in das Zimmer: »Denkt euch, Klemenz ist gefährlich krank!«

»Wer sagte dies? Was fehlt ihm?«, fragte die Mutter, der sein mildes Wesen und sein edler Sinn ihn längst schon wert gemacht, und es war gut, dass meine Mutter die Frage stellte, denn ich wäre nicht fähig gewesen, sie zu tun.

»Er hat einen Blutsturz gehabt, der Minister selber sagte es.«

»Aber wann denn? Wann ist's geschehen?«, fragte die Mutter.

»Vor drei Tagen. Er ist in der Sommerwohnung des Ministers gewesen, schnell nach Hause gegangen und, kaum dort angelangt, hat er den Anfall erlitten. Sie sagen, er sei sehr, sehr krank!«, berichtete sie und brach dabei mit der ihr eigenen Heftigkeit in Tränen aus.

»Caroline!«, rief die Mutter mit Erstaunen. »Was bedeutet das?«

»Oh, nichts, nichts! Ich habe eben kein Glück auf der Welt!«, und sie weinte noch heftiger. Ich saß sprachlos da und hatte keine Träne.

Ihr ganzer Zustand war mir unerklärlich. Ich hatte geglaubt, sie allein habe meine Liebe erraten, ich hatte mich von ihr mehr als ich wünschen konnte beobachtet geglaubt und es längst bereut, sie geflissentlich mit Klemenz in Berührung gebracht zu haben, es war in den Augenblicken meiner Verblendung wohl auch meine Eifersucht rege geworden gegen sie, aber dass sie ihn liebte, so heftig liebte, darauf war ich nicht vorbereitet gewesen. Die Mutter sprach ihr Trost ein, indem sie an Beispielen bewies, wie lange Menschen oft nach solchen Anfällen gesund gelebt; aber kaum hatte sie das Zimmer verlassen, als Caroline sich von dem Sofa aufrichtete, auf das sie sich geworfen, und mir um den Hals fiel.

»Julie«, redete sie, »ich weiß es, du bist gut. Leiste mir den höchsten Dienst, den ein Mensch mir leisten kann, und ich will ihn dir danken, solange ich lebe. Ich muss, ich muss ihn sehen.«

»Du?«, rief ich. »Du willst Klemenz sehen?«

»Verwundere dich nicht, sondern hilf mir lieber«, sagte sie mit der Strenge, die sie gleich annahm, wo ihr ein Widerstand entgegentrat. »Hilf mir, denn du kannst es. Klemenz ist der Pflegesohn des Onkels, du kannst den Pflegesohn deines Mannes nicht so auf dem Krankenbette liegen lassen, du darfst es nicht, ohne dass du ihn siehst. Gehe zu ihm, nimm mich mit, die Mutter muss uns begleiten. Es wird ihm eine Wohltat sein, und mir – mir gibst du mehr als das Leben damit.«

Der Kampf in meinem Herzen war sehr schwer. Ich wusste mir in meiner Todesangst, in der Sorge um den Geliebten nicht zu helfen, nicht zu raten. Sollte ich hingehen?

Wie gern hätte ich das getan, wie zog es mich zu ihm! – Indes welche Wirkung konnte es auf ihn machen – und was würde Schlichting davon denken? Konnte ich, durfte ich den Eingebungen eines Herzens folgen, das sich schon so weit verirrt? Sollte ich Klemenz ein Wiedersehen bereiten, da er selbst mir Lebewohl gesagt für immer? Ich schwankte und rang, mehr als ich sagen kann, bis ich endlich zum Entschluss gelangte. »Ich will die Mutter bitten, hinzugehen«, sprach ich, »du kannst sie dann begleiten.«

»Ich?«, rief sie. »Wenn du, wenn die Frau seines Pflegevaters ihn nicht sehen mag? Wie käme ich allein dazu? Was habe ich für ein Recht an ihn? Wen rührt es denn, dass ich ihn liebe? Wer hat denn ein Herz für das, was ich empfinde?«

Ich wurde immer unentschlossener, immer schwankender. Es kostete mich nur ein Wort, und ich sah ihn wieder! Es war so natürlich, dass ich ihn besuchte unter dem Schutze meiner Mutter. Die Erfüllung seiner Wünsche so nahe zu sehen und sie sich versagen zu müssen, ist sehr hart, aber diesmal trug das Gefühl meiner Pflicht den Sieg davon.

Mit einer erheuchelten Ruhe, die anzunehmen ich mich kaum fähig geglaubt, sagte ich: »Halte mich nicht für teilnahmslos, Caroline, aber mein Besuch kann dem Armen gar nichts nützen. Ein Besuch von drei Personen ist auch zu viel im Krankenzimmer. Du und die Mutter, ihr könnt ja gehen.« Caroline sah mich forschend an, ich hielt ihren Blick standhaft aus, so schwer mir's wurde.

»Du bist sehr vorsichtig!«, meinte sie spöttisch.

»Da ich meinem Manne nicht an sein Krankenlager folgen sollte«, entgegnete ich, »dünkt mich's auch nicht recht, wenn ich zu Klemenz gehe.«

»Du hast ihn aber doch gesprochen an dem Nachmittage, ehe er erkrankte!«, sagte sie und sah mir wieder scharf ins Angesicht.

»Ja, ich erzählte euch ja gleich davon«, antwortete ich in dem früheren Tone.

»Und war er denn wohl? Was tat er denn? Klagte er dir etwas? Sah er übel aus?«, fragte sie noch immer aufgeregt, aber nicht mehr mit dem früher kundgegebenen Argwohn.

Ich gab Bescheid, so gut es möglich war, und als unsere Mutter wiederkehrte, machte ich ihr den Vorschlag, den ich als Bitte aussprach, sie möge doch mit Carolinen nach dem Kranken sehen. Sie hatte für ihre Person schon selbst daran gedacht, und es kostete kaum eine Überredung, dass sie Carolinen mit sich nahm. Man war es damals so gewohnt, junge Frauenzimmer an dem Krankenbette und bei den Verwundeten zu sehen, dass solch ein Besuch als etwas sehr Natürliches erschien. Wir packten einige Orangen und andere Erfrischungen zusammen, dann machten sie sich auf den Weg, und ich genoss die einzige Wohltat, für die ich in diesem Augenblick empfänglich war, – ich blieb allein.

Dass Klemenz sterben würde, war mir außer allem Zweifel, dass ich seinen Tod herbeigeführt, dass Gott ihn zulasse zu meiner Strafe, das stand ebenso unumstößlich in mir fest, und mit meinem blutenden, geängstigten Herzen flüchtete ich zu ihm, der alles weiß und die Quelle aller Gnade ist. Im strengen Calvinismus auferzogen, kniete ich zum ersten Male in meinem Leben zum Gebete nieder, und laut betend mit einer bis dahin nie empfundenen Inbrunst flehte ich um Trost und Rat.

Mögen die modernen Philosophen auch das Dasein eines Gottes leugnen und den Menschen als das Höchste bezeichnen – wer sich so herzzerrissen und ratlos, so ohnmächtig und hilfsbedürftig fühlt, wie ich in jener Stunde, der vermag es nicht zu glauben, dass er das Letzte und das Höchste sein soll, der hat das unabweisliche Bedürfnis, sich an ein allweises, allmächtiges Wesen anzulehnen und von ihm den Rat und die Hilfe zu erflehen, die er in sich nicht findet, und die ihm zuteil wird mit dem Glauben, dass diese Hilfe für ihn existiert.

Mich hatte das Gebet in jener Stunde förmlich neugeboren. Ich wusste, was ich zu tun hatte, meinen Irrtum zu büßen und mich vor weiterer Verstrickung zu bewahren. Als meine Mutter nach Hause kam, war ich gefasst und voll entsagender Kraft.

Sie stellte den Zustand des Kranken zwar nicht als unbedeutend dar, aber sie sagte, eine augenblickliche Gefahr sei durchaus nicht vorhanden. Es lasse sich im Gegenteil eine baldige Herstellung von diesem Anfalle erwarten, und Klemenz hatte auch zu ihr davon gesprochen, dass er gleich nach seiner Genesung an alle seine Geschäfte zurückzukehren denke. Die Mutter hatte ihn gefragt, ob er Schlichting von seiner Krankheit unterrichtet habe, und da das nicht geschehen, war sie in das Nebenzimmer gegangen, um an seinem Schreibtisch einige Zeilen für meinen Mann zu schreiben, welche sie dann auf dem Heimwege selbst in der Kanzlei des Ministeriums zur Beförderung abgeben wollte.

Während die Mutter dies erzählte, sah Caroline mich mit unverwandtem Blicke an, und kaum hatte jene sich entfernt, als sie sich mit der Frage an mich richtete: »Und du erkundigst dich nicht einmal, ob er dir, der Frau seines Wohltäters, keinen Gruß gesendet?«

»Ich dachte im Augenblick nur an die Gefahr, in der er schwebte«, antwortete ich.

»Julie«, rief meine Schwester, »warum verbirgst du dich vor mir? Hältst du mich für so blind, dass ich nicht in deinem Herzen gelesen hätte?«

Ich war keiner Antwort mächtig, der Atem stockte mir fast in der Brust. Was ich aller Welt verborgen glaubte, das wusste Caroline, gerade Caroline! Mein erschrecktes Schweigen wurde ihr ein Zugeständnis. Sie nahm mich an der Hand und zog mich zu sich. »Weißt du es nun«, sagte sie, »wie es schmerzt? Begreifst du es jetzt, was ich gelitten habe?«

Ich verstand sie nicht recht, denn ich sah keine Ähnlichkeit zwischen ihrem Schicksal und dem meinigen, aber ich hatte so sehr das Bedürfnis, mir das Herz auszuweinen, dass ich erquickende Tränen an ihrer Brust vergoss. Sie hielt mich umfangen und streichelte mir das Gesicht. Ich glaube, es war das erste Mal in meinem Leben, dass wir uns so nahe kamen, dass sie mir wie eine ältere, beschützende Schwester erschien.

»Weißt du es noch«, sprach sie, »wie ich dich beklagte, als sie alle so voll Freude waren über deine Heirat?« Ich erinnerte mich nur zu gut des unheimlichen Eindrucks, den ihre Worte mir an jenem Morgen gemacht, und hatte in diesen letzten Tagen oft mit meinen Gedanken darauf verweilt. »Armes, armes Kind!«, sagte sie wieder wie damals. »Und«, fügte sie nach kurzer Pause hinzu, »und was würde erst aus dir werden, wenn Klemenz diese Liebe teilte!«

Ich richtete mich auf, ich sah sie mit meinen weinenden Augen an, denn ich begriff sie immer weniger. »Was hat dir Klemenz denn gesagt?«, fragte ich leise.

»Gesagt?«, wiederholte sie. »Was brauchte er es mir zu sagen? Ich fühlte, seit er zum ersten Mal zu uns kam, wie sehr wir uns verstanden, wie gleich wir dachten. Er, er und ich, wir waren auch die Einzigen, die dich schweigend beklagten in der Trauungsstunde. Ich sah den Blick, den er auf dich richtete und der sich dann zu mir wendete, gleichsam Verständnis suchend. Ein paar Tage später hatten wir an einem Abende, als hier alles von Gratulationsbesuchen für dich voll war, im Kabinett eine lange und ernste Unterredung über die Liebe und die Ehe. Alles, was er sprach, war mir aus dem Herzen gesprochen, löste die Starrheit des Schmerzes von meiner Brust. ›Gleichheit aller Lebensbedingungen‹, sagte er, ›ist die Wurzel der Liebe, wo diese Gleichheit fehlt, bleibt das Unglück der Ehe selten aus.‹ Er tat, als bezöge er es auf dich und den Onkel, aber ich fühlte, dass er die Verblendung meinte, mit der ich mich einem Manne verlobt, der nicht meines Volkes, nicht meines Glaubens gewesen, und als ich ihm erschüttert von seiner Teilnahme die Hand reichte, drückte und küsste er sie mit solcher Liebe – ja, es war schon damals Liebe, ich weiß es jetzt! – dass mir das innerste Herz erquickt ward, und – seit dem Tage lebe, hoffe, liebe ich wieder!« Sie warf sich mir bei den Worten um den Hals. »Vergib mir, vergib mir«, rief sie, »dass ich dir mein Glück, mein schmerzliches Glück auszusprechen wage, wo du ohne Hoffnung, wo du voll Entsagung sein musst; aber ich habe ja auch so lange und so schwer geduldet.«

Mir war, als verwirre mich ein wüster Traum. Bald hörte ich die schärfste Wahrheit, wenn Caroline mir erzählte, wie sich in dem und jenem Zuge meine wachsende Liebe ihr verraten, bald wieder glaubte ich meiner Sinne nicht mächtig zu sein, wenn sie die Versuche, die ich früher gemacht, sie und Klemenz einander näher zu bringen, als Begegnungen ansah, welche er mit seiner Berechnung herbeigeführt. Einzelne Äußerungen, die er getan, über das Bedenkliche, welches eine reiche Heirat für den Mittellosen habe, hatte sie ebenfalls auf sich bezogen, und dass er sich mir oft ausschließlich zugewendet, war ihr ein Beweis gewesen, dass er, ihrer Liebe sich nicht sicher fühlend, sie nicht habe beunruhigen oder einer ihr nicht erwünschten Beobachtung aussetzen mögen. Sie erzählte mir das alles in der höchsten Aufregung, ich hörte ihr sprachlos zu.

»Den ganzen Tag über«, sagte sie, »hatte ich es überlegt, wie ich es machen sollte, ihn nur einen Augenblick allein zu sprechen, denn wo ich liebe, schwindet jede Rücksicht und vollends diesem Herzen gegenüber! Aber ich sah keine Möglichkeit dazu, als plötzlich Gott selbst, glaube ich, es der Mutter eingab, an Schlichting schreiben zu gehen. Ich saß an seinem Sofa; als die Mutter sich entfernt hatte, gab ich ihm die Hand. ›Ich hatte eine Ahnung, dass Sie kommen würden‹, sagte er, ›dass der Himmel mir diesen Trost vergönnen würde.‹ – ›Trost?‹, fragte ich. ›Wozu bedürfen Sie des Trostes? Sie werden genesen und – Sie werden ja geliebt!‹ Ich sagte das, weil ich es sagen musste«, fuhr sie sich entschuldigend fort, »aber so ergriffen ich auch war, Klemenz' Erschütterung übertraf doch alles, was ich erwartet hatte. Er hob beide Hände, wie in Ekstase in die Höhe und sagte: ›Gott, das will verdient sein, und ich will's verdienen, treu verdienen! Sagen Sie –‹ Da trat die Mutter ein, und er verstummte. Aber er hielt meine Hand fest, und als wir dann gingen, als ich mich neigte, noch einmal seine liebe Hand zu fassen, drückte er die meine mit Leidenschaft an seine Lippen und sprach noch einmal nur mir vernehmbar: ›Ich will's verdienen!‹«

Sie schwieg, und ich – was konnte ich sagen? – Es war unwiderleglich, Klemenz hatte sich Carolinen genähert, weil er sie für eine schweigende und teilnehmende Vertraute seiner unglücklichen Liebe angesehen, und noch in dieser Stunde hatte er sie für einen Boten gehalten, den ich ihm zum Trost gesendet. Was daraus werden, wie das enden sollte, sah ich nicht ein, aber ebenso unmöglich war es mir, Carolinen zu sagen, dass sie sich einer Täuschung überlassen; um meinet- und um ihretwillen konnte ich es nicht.

So ging der Abend hin und die folgenden Tage. Die Mutter schickte an jedem Morgen, um nach seinem Befinden fragen zu lassen, und immer erfuhren wir, dass es ihm viel besser gehe. Der Arzt, den wir sprachen, meinte sogar, Klemenz erhole sich so schnell und sein Zustand habe sich so wesentlich gebessert, dass sich darin eine große Lebenskraft verrate und dass er vielleicht älter werden könne, als man bisher geglaubt.

Bei diesen Mitteilungen strahlte Caroline vor Freude, in mir blieb alles dumpf und still. Ich wusste nicht mehr, was ich wünschen, was ich fürchten sollte. Eine unbestimmte Ahnung lag beängstigend über mir, ohne dass ich mir auch nur hätte klarmachen können, worauf sie sich bezog. Die Mutter hatte den Zustand meines Herzens längst erraten, aber, ihrem Grundsatz treu, sprach sie nicht mit mir davon. Sie blickte mich nur oftmals mit ihren treuen schönen Augen voll stiller Sorge an, und einmal sagte sie: »Du siehst recht schlecht aus, Julie, du schläfst auch schlecht. Es wäre vielleicht besser, du bettetest dich für einige Zeit in die Hinterstube, die ist kühler, und du hast es dort ruhiger allein.« Ich küsste ihr die Hand und nahm es an. Sie wollte mir die Erleichterung gewähren, mich wenigstens einsam auszuweinen in der Nacht.

An demselben Tage sprach sie auch mit mir von Carolinen. »Ich fürchte«, meinte sie, »Caroline gibt sich wieder falschen Hoffnungen hin, Klemenz liebt sie nicht. Ich habe sie gewarnt, sie wollte mich nicht verstehen. Ich habe dann offen mit ihr gesprochen, das hat sie erbittert. Das Misstrauen, das die Großmutter so unglücklich in sie gesät, ist nicht auszurotten. Sie ließ es mich auch diesmal wieder fühlen. Sie sagte, du wärest reich durch deinen Mann, Antonie sei ebenfalls vermögend, der Bruder habe ja das Geschäft, es sei also niemand da, dem daran gelegen sein könne, sie zu beerben, und doch lege man es darauf an, dass sie sich nicht verheirate. Man streue Zweifel in ihr Gemüt, sobald es sich erschließe, auch jetzt wolle ich sie irremachen; sie sei freilich nicht so jung wie du, indessen sei es doch nicht unmöglich, dass sie Liebe wecke und erwerbe. Sie war zornig, traurig, heftig, alles mit einem Übermaße ihres Wesens. Was macht man mit dem Mädchen?«

Unser Zusammenleben wurde immer melancholischer. Von meinem Mann erhielt ich öfter Nachrichten; er war hergestellt und wollte seinem Regimente folgen, das vorwärts gegangen war. Er schrieb mir immer mit der gewohnten ruhigen Güte und wusste nicht, welchen Kummer gerade diese Güte mir erregte. Ich wartete stets mit Scheu auf diese Briefe, jedoch mit noch größerem Bangen dachte ich des Tages, an dem ich Klemenz irgendwo begegnen, an dem er etwa gar zu uns kommen würde.

Indessen ein Tag nach dem andern verstrich, und obschon er ausgegangen war, vernahmen wir nichts von ihm. Caroline verlor sich in den unwahrscheinlichsten Vermutungen, sie verletzte und kränkte die Mutter und mich unablässig, sodass ich oftmals auf dem Punkte stand, ihr alles zu sagen, um nur Ruhe vor ihr zu haben; aber bei ihrer Heftigkeit hatte ich die Folgen für sie, für mich und auch für Schlichting zu bedenken. Sie ging täglich in das Büro des Frauenkomitees, in der Erwartung, Klemenz dort zu finden, aber er war nicht da. Sein junger Kollege hatte ihn gesehen und meinte, er sei noch zu angegriffen zu dauernder Tätigkeit. Endlich, gerade vierzehn Tage nach der unvergesslichen Begegnung, kam ein Brief von ihm an meine Mutter. Er habe soeben, schrieb er, aus Feldingen, dem Gute meines Mannes, die Nachricht erhalten, dass seine Anwesenheit dort wünschenswert sei, und da der Arzt ihm ohnehin geraten, die Landluft zu genießen, habe der Minister die Güte gehabt, ihm einen Urlaub zu bewilligen. Er empfehle sich schriftlich, um keine Zeit zu verlieren, und werde dem Geheimrate auch sogleich die Anzeige dieser kleinen Reise machen.

Ich sagte mir, es sei eine Erleichterung, dass er die trennende Ferne zwischen uns lege, aber weh tat es mir doch. Die Mutter lobte gegen uns seine Pflichttreue für meinen Mann, und lobte ihn in ihrem Herzen noch viel wärmer; Caroline aber sagte mir unumwunden, Klemenz habe sich entfernt aus Mitleid mit meiner Schwäche, und um nicht jetzt, wo er noch angegriffen sei, die schmerzliche Verwirrung, die er unwillkürlich verschuldet, durchkämpfen zu müssen.

Damit gingen der Mai und der halbe Juni hin, wir warteten auf Nachricht von Klemenz, es kam keine. Am zwanzigsten Juni kam die Kunde von dem Waffenstillstande nach Berlin und verbreitete solchen Schreck, solche Entrüstung, dass wieder für eine Weile das persönliche Interesse in den Hintergrund trat bei jedem, der nicht ganz erstorben war, wie ich, die mich der Gedanke an meine lange, öde Zukunft lähmte. Zugleich mit jener Kunde erhielten wir einen Brief von meinem Manne, in dem er teilnehmend besorgt nach Klemenz fragte, von dem er seit längerer Zeit ohne alle Nachricht sei.

Da Feldingen nicht an der großen Straße lag, da alle Postverbindungen so unsicher waren, war die Wahrscheinlichkeit vorhanden, dass ein Brief von Klemenz verloren gegangen sei, und die Mutter setzte sich augenblicklich nieder, ihm zu schreiben, dass er Schlichting beruhigen möge. Aber am sechsten Tage kam der Brief zurück. Der Verwalter meines Mannes schrieb, der Assessor befinde sich nicht in Feldingen und habe auch, als er vor drei Wochen zuletzt geschrieben, nichts davon gesagt, dass er hinkommen wolle. Er habe vielmehr alle Verabredungen für längere Zeit getroffen, da er eine Reise vorgehabt, und ihn angewiesen, sich in besonderen Fällen an den Amtsrat K. zu wenden, dessen Domänenpachtung an das Gut von Schlichting grenzte, und zu dem dieser in einem recht nahen Verhältnisse stand.

Diese Auskunft war nur eine neue Ungewissheit. Wir verloren uns in Mutmaßungen, die Mutter schrieb an den Amtsrat, auch von ihm kam der Bescheid, er wisse nicht anders, als dass Klemenz eine Badereise unternommen habe. Der junge Kollege von Klemenz war der Einzige, gegen den er die Äußerung getan, er werde vielleicht in Böhmen eine Badekur gebrauchen und wolle sich deshalb für alle Fälle einen Pass geben lassen, um von Feldingen direkt dorthin gehen zu können, wenn es ihm nötig scheine. Man fragte bei den Behörden nach, der Pass war ausgefertigt worden, aber es war nicht abzusehen, weshalb er eine Badereise mit so heimlicher Eilfertigkeit betrieben habe, und in allen tauchte die Überzeugung auf, Klemenz sei zum Heere abgegangen, obschon er Schlichting versprochen hatte, es nicht zu tun.

Caroline war die Erste, die es augenblicklich aussprach, aber sie äußerte es nicht gegen uns, sondern gegen eine Dame, mit der sie im Komitee bekannt geworden war und eine intime Freundschaft geschlossen hatte. Ihr vertraute sie ihre Liebe für Klemenz. Sie erzählte ihr von dem Besuche, den sie ihm mit der Mutter gemacht, von dem Abschied, den er genommen, und wie er mehrmals ausgerufen, das wolle verdient sein!

Die Liebe einer Frau durch seine Hingabe an das Vaterland zu betätigen, lag ganz im Geiste jener Zeit. Schon nach zwei, drei Tagen sprach in unserem Kreise jedermann offen davon, dass Klemenz um Carolinens willen in den Kampf gegangen sei und es uns verheimlicht habe, weil er gefürchtet, wir würden ihn in meines Mannes Namen davon zurückzuhalten bemüht sein. Man pries seine Gesinnung, man nannte es ein wundersames Geschick, dass Caroline, die einst ihr Herz von der deutschen Sache abgewendet, nun durch eine so heilige Neigung für ewig dem Vaterlande wiedergewonnen werde, und kaum hatte die Freundin meiner Schwester sich für diese Liebe begeistert, als auch die anderen den lebhaftesten Anteil an derselben zu nehmen anfingen. Caroline wurde von allen als die Verlobte des Assessors angesprochen, sie nannte sich selber seine Braut, man wünschte mir, der Mutter dazu Glück, und wir befanden uns in der Lage, nicht sagen zu können, dass diese hingebende Liebe, diese Verlobung nur in der Einbildungskraft meiner Schwester ihre Wurzel hätten.

»Was soll ich tun?«, fragte mich eines Tages meine Mutter.

»Lass sie gewähren, es macht sie glücklich«, antwortete ich.

»Aber wenn Klemenz wiederkehrt?« Ich sah meine Mutter an, sie wendete sich ab.

»Er wird nicht wiederkehren«, sagte ich, und ich sprach damit meine festeste Überzeugung aus.

Tag und Nacht kamen mir die Worte des Dichters nicht aus dem Sinne: »Man sagt, er wollte sterben!« – Bald bewunderte, bald tadelte ich ihn in meinem Herzen. Je länger er von mir fern war, desto bestimmter sagte ich mir, dass man nicht zu sterben brauche, um füreinander tot zu sein. Ich wünschte, er sollte leben, genesen, wenn es möglich wäre. Die Zurückhaltung, das Schweigen, in die ich mich gebannt, kamen mir wie ein Unrecht gegen ihn, gegen Schlichting vor, der ihn liebte, wie seinen Sohn, der uns kein strenger Richter sein konnte, da wir uns schon selbst die Buße der notwendigen Entsagung aufgelegt. Mein unbesonnenes Geständnis hatte die Entfernung des Geliebten herbeigeführt, mein ehrliches Bekenntnis vor meinem Manne sollte Klemenz der Heimat, seinem Beschützer, dem Leben wiedergeben. Ich setzte mich zum Schreiben nieder und schrieb die ganze Nacht. Am Morgen siegelte ich den Brief und trug ihn selber fort. Es war in den letzten Tagen des August und ein Sonnenschein, eine Helle, als ob die ganze Welt voll Wonne wäre.

Ich hatte lange Zeit an die Wirkung zu denken, welche mein Vertrauen auf meinen Mann machen würde, ich hatte lange Zeit, mir seine Antwort vorzustellen. Erst gegen das Ende des Monats traf ein Brief von Schlichting ein, doch war er nicht wie sonst an mich, sondern an meine Mutter adressiert und die Aufschrift »eigenhändig« wies ihn ihr noch ganz besonders zu. Sie ging in das Schlafzimmer, ihn zu lesen, Caroline und ich blieben zurück. Welche Unruhe folterte mich, wie zählte ich die Sekunden bis zu ihrer Rückkehr! – Als sie wieder in das Zimmer trat, war sie bleicher, als ich sie je gesehen, und ihre Augen rot von Tränen.

»Mutter«, rief ich, »um Gottes willen, was ist geschehen, was schreibt Schlichting?«

»Er sendet eine traurige Nachricht«, sagte sie leise. »Klemenz ist bei der böhmischen Armee und –«

»Tot?«, riefen Caroline und ich, wie aus einem Munde, wie unter der gleichen Vernichtung.

Die Mutter nickte kaum merklich mit dem Kopfe, auch sie weinte um ihn. »Er ist bei Kulm gefallen«, sprach sie langsam.

Caroline brach mit einem wilden Schrei zusammen. Ihr Schmerz kannte keine Grenzen, sie verfiel in eine Art von Krampf, wir hatten nur mit ihr zu tun. Erst als wir sie ausgekleidet und zu Bett gebracht, kam ich zur eigenen Besinnung und verlangte den Brief zu lesen, der das Härteste gemeldet hatte, aber ich war still und tränenlos.

»Mehr als einen Monat ohne alle Nachricht von Julien und von Ihnen, teure Freundin«, schrieb Schlichting, »erhalte ich heute aus Teplitz von dem Adjutanten des Major R. die Einlage, welche in traurigster Weise Ihre Vermutung bestätigt, dass Klemenz heimlich zur Armee gegangen ist. Er hat erreicht, was er erstrebte. Im Siegesjubel der Schlacht von Kulm ist er für das Vaterland gestorben. Ein Brief, welchen er für den Fall seines Todes an sicherem Orte zurückgelassen, soll mich trösten über seinen Hingang und macht mir seinen Verlust nur umso schwerer. Ich lege Ihnen diesen Brief hier bei. Ich liebte diesen Jüngling, ich hätte ihn so gern behalten! Sein Verlust tut mir sehr wehe.« –

Ich konnte den Brief meines Mannes nicht weiterlesen, ich griff nach dem Briefe des Geliebten, des gestorbenen Geliebten. Er lautete:

»Mein väterlicher teurer Freund! Wenn Sie diese Zeilen empfangen, bedarf ich die Vergebung nicht mehr, die es mich dennoch von Ihnen zu erbitten drängt. Ich, der ich Ihnen alles danke, habe das Versprechen nicht zu halten vermocht, das ich Ihnen bei dem Abschiede gegeben. Es hat mir nicht Ruhe gelassen in der Heimat, während Sie alle auf dem Felde der Ehre kämpften. Aber ich wollte mich besiegen, ich wollte bleiben, denn Sie verlangten es, und Sie hatten Rechte über mich erworben durch eine Liebe, die ich Ihnen nie vergelten konnte. Da erlitt ich jenen Krankheitsanfall, von dem ich Ihnen geschrieben, und ich wusste es jetzt mehr als je, dass mir kein fernes Ziel gesteckt sei. Sollte ich jetzt auch noch abwarten, bis der matte Strom des Lebens in kränkelnder Trägheit verrann? Was konnte der Kranke Ihnen, andern, sich selber sein? Hatte ich nicht das Recht, die Pflicht, mein Leben zu verwenden für die heilige Sache? Durfte, musste ich es nicht einsetzen, wie Sie und all die Hunderttausende, die ein größeres Opfer damit bringen, als der Kranke, dessen armes, hoffnungsloses Dasein doch nur nach Tagen und nach Stunden zählte? – Gönnen Sie mir die Freiheit und das Glück eines schnellen, schönen Todes, der nicht mich allein befreit, und denken Sie meiner als eines Jünglings, der Sie liebte und verehrte als sein edles Vorbild, als seinen Wohltäter und Freund. Ihrer Achtung nicht würdig zu sein, das allein hätte ich nicht ertragen können, und so lassen Sie mich morgen denken, wenn wir ausrücken gegen den stolzen, frechen Feind des Vaterlandes, dass Ihr Segen auf meinen Waffen ruht, dass Ihre Liebe mich in Kampf und Tod begleitet. Schütze Sie der Himmel im Kampfe und gebe er Ihnen einst seines höchsten Glückes Fülle in dem freien deutschen Vaterlande. Gott mit Ihnen und mit mir!«

Was nun weiter geschah, wie die nächsten Tage, Wochen, Monate entschwanden, dessen weiß ich selbst mich kaum noch zu erinnern. Es kam mir vor, als wäre mein eigenes Leben nun zu Ende. Ich kannte damals die Kraft der Jugend noch nicht und nicht die Macht der Zeit.

Caroline schrieb, sobald sie zu sich gekommen war, ihrer Freundin, dass ihr Bräutigam bei Kulm geblieben sei. Sie legte Trauer an, man machte ihr Beileidsbesuche, man beklagte sie von Herzen. Auf mich und auf die Mutter brachte das einen entsetzlichen Eindruck hervor. Die Schwester erschien uns wie eine Geisteskranke, die man gewähren lassen muss. Indes übten der Schmerz, den sie wirklich fühlte, und die Teilnahme, die ihr überall entgegenkam, einen ganz unerwarteten Einfluss auf Caroline aus. Sie kam sich abgefunden mit dem Leben und dadurch gleichsam versöhnt mit ihrem Schicksal vor. Sie sprach es aus, dass niemand sich zu beklagen habe, dem einmal eine solche Liebe zuteil geworden, sie pries sich glücklich, dieses höchste, einzige Gefühl gekannt zu haben, und das gab ihr eine Weiche, eine Offenheit, die sie förmlich verwandelten. Sie wurde ein vollständig anderes Wesen von dem Zeitpunkte ab. Die Stunde, welche mir den Geliebten meiner Jugend nahm, hatte mir in Carolinen eine Schwester, unserer Mutter eine Tochter wiedergegeben.

Leider aber sollte unsere arme Mutter das Glück dieser Wandlung nur sehr kurze Zeit genießen. Sie starb uns plötzlich, zu Anfang des September, und auch ich deckte denn nun die schwarze Trauerkleidung über meinen eingestandenen und meinen verschwiegenen, tiefen Kummer.

Meine Mutter war schon ein paar Wochen tot, als ich endlich nach langem, bangem Harren eine Antwort von meinem Manne auf den Brief erhielt, in dem ich ihm meine Neigung für Klemenz eingestanden hatte und den geschrieben zu haben ich nach dem Opfertode des Geliebten tausendmal bereute. Mit schwerer Sorge öffnete ich das Kuvert, der Brief enthielt die Entscheidung über meine ganze Zukunft.

Ich las ihn in fliegender Eile. »Wo ein solches Opfer fiel«, hieß es nach den ersten einleitenden Worten, »wo eine solche Sühne dargebracht worden ist, hört jedes Urteil auf, und es bedarf jetzt meines Rates, meiner Vergebung leider nicht mehr für dich, für Klemenz. Ich habe dir gegenüber, mein armes, teures Kind, nichts zu beklagen, als die unglückselige Verblendung, mit der ich, einer Eingebung des Augenblicks folgend, dein Glück auf meine Weise zu begründen glaubte. Ich fordere von dir keine Verzeihung dafür, ich habe auch dir nichts zu verzeihen. Jetzt, wo wir beide blutenden Herzens den Tod des teuren Klemenz und der geliebten Mutter zu beklagen haben, bleibt uns nur die Aufgabe, aneinander festzuhalten mit liebendem Vertrauen, und einander zu werden, was jeder dem andern zu sein imstande ist. Ich kann dir weder die zärtlichste der Mütter, noch den edlen Jüngling wieder geben, den dein Herz gewählt, und mit dem du glücklich geworden sein würdest ohne mein Dazwischentreten. Aber ich verspreche dir, dass du Ruhe und die Liebe eines Vaters und eines Freundes an meiner Seite finden sollst, wird mir es gegönnt, zurückzukehren. Dich selber mache ich zum Herrn über unsere Zukunft. Du sollst entscheiden, was du mir sein willst und kannst. Diese Freiheit ist der einzige Ersatz, den ich dir zu bieten vermag, und auf diese liebevoll gewährte Freiheit rechne zuversichtlich.«

Wie dieser Brief mich beruhigte und rührte, wie sehr ich ihn dem Manne dankte, der Rechte an mich hatte, brauche ich nicht erst zu sagen. Seine Handlungsweise war aus der reinen Güte seines Charakters hervorgegangen, und wie immer war das wirklich Gute auch das Kluge und das Verständige.

Caroline und ich blieben noch in dem Hause meiner Eltern, das nun dem Bruder anheim gefallen war, bis er sich um Neujahr vermählte und wir eine eigene Wohnung nahmen. Wir lebten in derselben sehr zurückgezogen und fanden uns auch gut zusammen. Ich lernte es bald ertragen, wenn die Schwester von ihrem gestorbenen Verlobten sprach, weil es mich freute, seiner mit Liebe und Bewunderung gedenken zu hören, und für mich persönlich hatte ich nichts zu wünschen noch zu erstreben. Unsere Beschäftigungen im Frauenvereine gingen den ganzen Winter durch den gleichen Weg: Caroline wurde in den Vorstand gewählt und fand darin Zerstreuung, weil es ihre Tätigkeit noch mehr in Anspruch nahm.

Im Frühjahr zogen die Alliierten in die Hauptstadt Frankreichs ein. Der Feind der deutschen Freiheit war besiegt, Deutschland gerettet. Der Enthusiasmus, die Freude, der Jubel der Gesamtheit verbargen die zahllosen Tränen um die Opfer, welche diese Befreiung gekostet hatte. Caroline erhob sich an der großen Zeit, aber sie hatte Jahr und Tag weit über ihre Kräfte gearbeitet, sie war angegriffen, und man riet ihr zu einem Aufenthalte in anderer Luft. In Begleitung ihrer Freundin ging sie also in der Mitte des Sommers nach Böhmen. Sie wollte von

Teplitz aus am Tage der Kulmer Schlacht die Stelle besuchen, auf der Klemenz gefallen war, und sie führte diesen Vorsatz der liebevollen Totenfeier aus.

In Teplitz, das damals voll von Fremden und von Verwundeten war, welche dort Heilung für ihre Leiden suchten, fanden sie und ihre Freundin den Bruder der Letzteren, der bei Laon verwundet worden war und die rechte Hand verloren hatte. Er war ein Mann von vierzig Jahren und Besitzer eines Gutes in Ostpreußen. Caroline lernte ihn schätzen und hielt es, wie sie es nannte, auch für ihre Pflicht, ihr Leben einem Verteidiger des Vaterlandes ganz zu weihen. Sie wurde also bald nach Beendigung unseres doppelten Trauerjahres seine Frau, und ihre Ehe ist eine sehr würdige gewesen, ihr Mann und ihre Kinder hatten die treueste und tüchtigste Versorgerin an ihr.

Als im August der König seinen feierlichen Einzug in die Heimat hielt, als das sieggekrönte Heer zurückkam nach Berlin, befand Caroline sich noch in Teplitz. Mein Bruder war mit seiner jungen Frau zu ihren Eltern an den Rhein gegangen. Ich war ganz allein.

Ich stand am Fenster im Hause einer Freundin, als die Truppen vorüberdefilierten, als Schlichting mit seiner alten, schönen Haltung vor seinem Bataillon einherritt. Er war sich völlig gleich geblieben. Der Feldzug, die Verwundung hatten ihn nicht angegriffen, nur sein Antlitz war gebräunter, und seine Orden standen ihm trefflich auf der breiten Brust, aber in die Freude, in die herzliche Freude, die ich empfand, mischte sich ein banges Gefühl bei dem Gedanken: Das ist dein Mann! Ich empfand das tiefer, als je zuvor, denn ich hatte die Liebe kennenlernen, ich war ein Weib von reifem Herzen und von reiferem Verstande geworden in der Trennungszeit. Ich eilte in unsere Wohnung, Schlichting zu erwarten. Alles war mit Blumen verziert, alles für ihn vorbereitet, aber nun er kommen sollte, befand ich inmitten dieser Blumen mich in meiner Trauertracht, und mein Herz war noch viel trauriger als meine Kleider.

Als ich seine Schritte hörte, eilte ich ihm entgegen, und da wir einander erreichten, da er nun in dem Zimmer vor mir stand, war's, als hätten wir uns nie zuvor gesehen, als hätten wir uns nicht von Herzen lieb gehabt. Es war ein wunderbares, ein trauriges Wiedersehen, das wir feierten, mein Mann und ich. Er kannte mich kaum wieder. Ich war gewachsen, dass ich hoch an ihm hinanreichte, aber er hatte ein fröhliches Kind verlassen an der Seite einer liebevollen Mutter, im altgewohnten Vaterhause, und er fand eine stille, bleiche, junge Frau in einsamen, ihm gänzlich fremden Räumen.

Das berührte ihn alles auf einmal und entrückte mich ihm in jenem Augenblicke so, dass er mir mit einer scheuen Förmlichkeit begegnete, die auch mich verwirrend umfing. Wir hatten uns in dieser Stimmung nichts zu sagen, mein Mann umarmte mich zum Willkomm, ich küsste ihm die Hand. Es war still und bange zwischen uns, bis Schlichting sagte: »Was haben wir verloren, ich und du, mein armes Kind!« – Da fing ich an zu weinen, und meine Tränen tauten mir die Seele auf. Dennoch behielten die ersten Tage etwas Beängstigendes für mich und ihn, so sehr er mich zu beruhigen bemüht war. Er sprach viel von meiner Mutter und von Klemenz, er erzählte von seinem Leben und Ergehen, ich von dem unsern; es kamen viele Bekannte, wir mussten auch Besuche machen, aber die Spannung ließ in mir nicht nach, und ich sah's, dass auch Schlichting sich neben mir gezwungen fühlte.

Erst als ich ihm einmal mein ganzes Empfinden ausgesprochen, erst als er meine ganze Traurigkeit gewahrte, wurde seine Liebe frei und unbefangen. Wie ein Vater nahm er mich an sein Herz, wie ein gütiger Vater ließ er mich genesen neben sich und neue Lebenskraft und neue Lebenslust gewinnen.

Schon nach wenigen Tagen begaben wir uns auf das Land. Schlichting wollte mir mehr Freiheit gönnen, als das Leben in der Gesellschaft mir gestattet hätte. Er war um seinen Abschied eingekommen, nicht nur vom Militär, sondern überhaupt aus dem Staatsdienst, und nach wenig Wochen wurde ihm derselbe auf die ehrenvollste Art bewilligt. Er hat von da ab lange Zeit fast nur für mich gelebt.

Er heilte mein verwundetes Gemüt, er entwickelte und bildete meinen Verstand, er gewöhnte mich, mein Schicksal, mein Lebenslos mit dem anderer Menschen zu vergleichen, und er lehrte mich damit die Demut und Bescheidenheit, welche die Quelle der Zufriedenheit in unserem Herzen sind. Er wies mich an, zu fragen: Was habe ich getan? Was habe ich zu fordern? Was bietet mein Dasein mir an Gütern, welche Millionen anderer Menschen fehlen? Er erzog mich zur Zufriedenheit, das heißt zur Lebenslust, er machte mir es zur lieben Pflicht, ihm häuslich dienstbar zu sein, und gab mir damit den Anlass zu täglich neuer Freude. Was ich wurde, was ich bin, das danke ich seiner weisen, treuen Liebe.

Nach Jahr und Tag hatte ich meine Ruhe wiedergefunden, und als mein Herz genesen und mein Gemüt zur Klarheit gekommen war, da leuchtete allmählich das edle, maßvolle Wesen meines Mannes hell in meine Seele. Ich lernte ihn schätzen und lieben, wie er es verdiente, ich wurde gern und freudig seine Frau und habe ein reines, stilles Glück genossen, solange ich an seiner Seite lebte. Ich war dreißig Jahre alt, als er mir, ach nur zu zeitig, starb, und noch heute segne ich die Stunde, die mich in meiner Jugend ihm vermählte, noch heute blicke ich liebevoll zurück auf alles, was ich ihm verdanke, selbst auf die Schmerzen meiner jungen Jahre.

Seit seinem Tode habe ich fortgelebt in seiner Weise und in seinem Sinne. Ihm danke ich es, dass ich die Ereignisse nicht kleinlich im Einzelnen betrachte, dass ich hinblicke auf den großen, ausgleichenden Zusammenhang der Dinge und der Verhältnisse, dass ich in jedem Augenblicke das Leben schön auszufüllen strebe, weil jeder der letzte unseres Daseins werden kann, und dass ich den Menschen, die ich liebe, meine Liebe gern betätige, weil die Stunde kommt, in der wir's nicht mehr können. Leben und lieben, weil das Leben so kurz ist, das war seine Weisheit. Möge sie mir vorleuchten auch für die späten und vielleicht nicht mehr so schönen Tage meiner Zukunft.

*

Hier schloss das Manuskript der Tante. Es war schon zwei Jahre vor ihrem Tode beendet worden, und sie konnte sich in ihrer letzten Stunde sagen, dass sie sich in dem Sinne ihres Gatten treu geblieben war, bis sie von dannen schied. Friede ihrer Asche und ein freundliches Gedenken ihr und ihrer Güte!

Dekadente Erzählungen

Im kulturellen Verfall des Fin de siècle wendet sich die Dekadenz ab von der Natur und dem realen Leben, hin zu raffinierten ästhetischen Empfindungen zwischen ausschweifender Lebenslust und fatalem Überdruss. Gegen Moral und Bürgertum frönt sie mit überfeinen Sinnen einem subtilen Schönheitskult, der die Kunst nichts anderem als ihr selbst verpflichtet sieht.

Rainer Maria Rilke Die Aufzeichnungen des Malte Laurids Brigge **Joris-Karl Huysmans** Gegen den Strich **Hermann Bahr** Die gute Schule **Hugo von Hofmannsthal** Das Märchen der 672. Nacht **Rainer Maria Rilke** Die Weise von Liebe und Tod des Cornets Christoph Rilke

ISBN 978-3-8430-1881-4, 412 Seiten, 29,80 €

Erzählungen aus dem Sturm und Drang

Zwischen 1765 und 1785 geht ein Ruck durch die deutsche Literatur. Sehr junge Autoren lehnen sich auf gegen den belehrenden Charakter der - die damalige Geisteskultur beherrschenden - Aufklärung. Mit Fantasie und Gemütskraft stürmen und drängen sie gegen die Moralvorstellungen des Feudalsystems, setzen Gefühl vor Verstand und fordern die Selbstständigkeit des Originalgenies.

Jakob Michael Reinhold Lenz Zerbin oder Die neuere Philosophie **Johann Karl Wezel** Silvans Bibliothek oder die gelehrten Abenteuer **Karl Philipp Moritz** Andreas Hartknopf. Eine Allegorie **Friedrich Schiller** Der Geisterseher **Johann Wolfgang Goethe** Die Leiden des jungen Werther **Friedrich Maximilian Klinger** Fausts Leben, Taten und Höllenfahrt

ISBN 978-3-8430-1882-1, 476 Seiten, 29,80 €

Erzählungen aus dem Sturm und Drang II

Johann Karl Wezel Kakerlak oder die Geschichte eines Rosenkreuzers **Gottfried August Bürger** Münchhausen **Friedrich Schiller** Der Verbrecher aus verlorener Ehre **Karl Philipp Moritz** Andreas Hartknopfs Predigerjahre **Jakob Michael Reinhold Lenz** Der Waldbruder **Friedrich Maximilian Klinger** Geschichte eines Teutschen der neusten Zeit

ISBN 978-3-8430-1883-8, 436 Seiten, 29,80 €